WORLD-FAMOUS SUSPENSEFUL *STORIES*

目 录

译本前言 …………………………………………… 沈东子(1)
我最喜欢的几篇悬念小说 ………………… [美] 阿·希区柯克(4)

夜莺别墅 ………………………………… [英] 阿·克里斯蒂(1)
蓝十字架 ……………………………… [英] G·K·切斯特顿(19)
恐怖岛 ………………………………… [英] W·萨姆伯洛特(31)
女房东 …………………………………… [英] 罗尔德·达尔(41)
斜眼 …………………………………… [英] G·K·切斯特顿(50)
墓园小路 ……………………………… [俄] 列昂纳德·罗斯(61)
温柔的一摸 ………………………………… [美] 曼·拉宾(63)
笨蛋 ………………………………………… [英] C·海厄(72)
巴德先生了不起的念头 ……………………… [英] D·L·萨耶(80)
发不准S音的人 ……………………… [英] G·C·索恩利(87)
战争 ……………………………………… [美] 迈尔尼(98)
摆脱乔治 ……………………………… [美] 罗伯特·阿瑟(101)
红发会 …………………………………… [英] 柯南道尔(115)
圆锥体 ………………………………… [英] H·G·威尔斯(124)
侏儒 ………………………………… [美] 雷·布雷德伯里(134)
碗底的果子 ………………………… [美] 雷·布雷德伯里(146)
失踪的人们 ……………………………… [美] 杰克·芬尼(157)
春情 …………………………………… [英] D·S·戴维斯(171)

1

包厢旅伴 ……………………………… ［奥地利］雅可夫·林德(191)

车祸 …………………………………… ［美］C·B·吉尔弗德(197)

遇上麻烦的男人 ……………………… ［美］唐纳德·霍尼格(208)

译本前言

沈东子

　　据说希区柯克在成为悬念大师之前，最拿手的活计是根据恐怖小说改编电影剧本。为此他研读过从爱伦·坡①到罗尔德·达尔②的大多数英美恐怖小说和神秘小说作家的作品，并在电影界独辟蹊径，拍摄了一大批新颖奇特的悬念电影，如《蝴蝶梦》、《三十九级台阶》、《眩晕》、《飞越疯人院》等，为世界电影的发展作出了独特的贡献，被法国电影学家萨杜尔称为"影界莎士比亚"。希氏独具个性的导演风格不仅为广大影迷所仰慕，而且赢得了众多好莱坞大明星的敬佩，褒曼、施奈德和格兰特等都以能在他导演的片子里担任角色为荣，麦多娜则因为未能如愿而抱憾不已(希氏已于1980年去世)。

　　希区柯克以悬念电影大师闻名世界，那么何谓悬念小说呢？据希氏自己解释："一篇悬念小说并不单纯是在讲述这是谁干的，比较好的说法应该是他何时会干。"也就是说，悬念小说比较注重故事的发展过程，注重渲染各种气氛，让读者以更为紧张的心理状态去关注小说主人公的个人命运，为他们的各种遭遇担惊受怕。

　　早期悬念小说有点类似哥特式小说③，通常以年轻女人作为主角，一个单纯的女人忽然发现自己置身于某种极易被坏蛋伤害的环境当中，

---

① 爱伦·坡(1809—1849)，美国作家，西方侦破小说和恐怖小说先驱。

② 罗尔德·达尔(1916—1990)，英国作家，擅写恐怖惊险小说。

③ 哥特式小说，即描写女人受坏蛋威胁的一种文学形式，通常将爱情故事与神秘事件融合在一起。因背景多取荒凉的哥特式建筑物而得名。

比如破败的庄园、颓塌的旧宅以及古堡寺庙等等，恐怖场面一再出现，女主角的生命屡屡受到威胁，贞操时时遭人觊觎，直到最后爱战胜恨，善战胜恶，光明的力量将饱受惊吓、万分可怜的女主人公从黑暗中救出，有情人终成眷属。像夏绿蒂·勃朗特的《简·爱》在很大程度上就可以归入此类。这类小说比较符合妇女敏感多思的心理，因而往往受到女性读者的青睐。比较典型的例子是英国女作家达芙妮·杜穆里埃写于1938年的小说《吕贝卡》。小说描写了年轻单纯的女主人公婚后在阴森恐怖的曼陀丽庄园里的生活，庄园里处处都有庄园主前妻吕贝卡不散的阴魂在游荡。吕贝卡是某种不祥的象征(与《简·爱》中罗彻斯特前妻的形象几乎如出一辙)，她在整部小说中从未露面，但读者无时不感到她的存在以及她对女主人公造成的威胁。希氏把《吕贝卡》改编成了电影(中文译名为《蝴蝶梦》)，结果大获成功，声誉甚至超过了原著。

此后悬念小说又染上了一些恐怖神怪小说的色彩。作家让主人公生活于恐惧中，让读者和主人公一道经受心灵的磨难。这类小说的始祖无疑为爱伦·坡，他在《鄂榭府的塌陷》中率先描写了停尸房里的敲打声——原来妹妹还没有死，披头散发地爬出棺材扑进哥哥的怀抱里。本书收入的罗尔德·达尔的《女房东》也同样令人惊骇。小说叙说一个英国少年深夜抵达一座陌生的城市，在寻找旅店时落入一个开小客栈的女房东之手。那女人性格乖戾，喜好男色，她用什么方式占有前来投宿的年轻男子呢？她将他们制成标本保藏起来。再如《摆脱乔治》，女演员劳拉时时梦见前夫乔治那双邪恶的眼睛在朝她眨动，总也摆脱不掉他的纠缠，甚至在与第二任丈夫出门度蜜月时，也被迫带上乔治的尸体。她好不容易躲藏起来，以为已经摆脱了他，可是却在洞房里看见那双眼睛在朝她眨动。这不由得让人联想到爱伦·坡的《丽姬娅》：男主人公在另一个女人的眼睛里看见了美丽的丽姬娅那双忧伤的大眼。小说中的悬念都要到最后才被点破，而且往往极为自然，令人叹服。

悬念小说的最大特色，也就是与其他形式小说最为不同之处，显然在于对环境气氛的渲染。作家通过对某种特定场景的描述，引起读者的警觉，继而不由得为小说主人公的处境担忧起来，总想尽早知道结局，总希望主人公能摆脱困境，憋在心里的一口气要待到水落石出后才能吐出，从而达到了作家制造悬念的目的。其实所谓悬念，就是要让读者兴奋起来，愿意将作品一口气读完。通俗些的说法就是增强作品的可读性。说穿了，悬念不过是作家运用的一种艺术技巧，制造悬念就是想让一个本来很平庸很荒唐的故事变幻出一点意思出来，让人愿意读，读过之后愿意回味，而且能回味出一些滋味来。比如萨姆伯洛特的《恐怖岛》，因为有了母子雕像这个悬念，于是一篇本来似乎很荒诞的小说立刻变得新颖起来。小说描写一位好奇的艺术品爱好者只身来到爱琴海上的一座希腊孤岛，发现了一组举世罕见的雕塑精品。所有的岛民都像躲避灾难一般躲避它，连看都不敢看一眼，可他却偷偷踏上了阒无人迹的海滩，结果在沙滩上遇到了以蛇为发的戈根姐妹。碰到戈根姐妹后主人公又怎么样了呢，小说没有继续往下写，而是像叙说另一个故事似的描写了古希腊神话中关于戈根姐妹的传说，于是读者在阅读这个传说时，也就明白了那组雕像的由来和主人公的必然结局。悬念小说构思布局的手法之高由此可见一斑。

希氏是否曾经有意将本书收入的几篇小说改编为电影，译者尚不得而知，但这几篇小说符合希氏口味，这一点是毫无疑问的。也就是说，这几篇小说算得上是较为出色的悬念小说作品。希望读者诸君读过本书后对西方悬念小说能有一点初步的了解，当然也希望作家们读过本书后能多少获得一些启发，从而创作出中国自己的悬念小说佳作。

我最喜欢的几篇悬念小说

[美] 阿·希区柯克

　　到乡下度周末时，朋友总会塞给我一本书。近来我忽然意识到，通过电视我已经与你们度过了许多时光，可是从未表示过谢意。因此，我想到了这部书。当然我并不认为我的朋友会白白地把书交出来，不过这没关系，你会觉得很划算的。

　　绝大多数序言总是啰啰嗦嗦地解释为什么选中了某篇小说，选编者几乎立刻就成了道歉者。这部书里的小说之所以被列入这部书，只有一个原因，这原因已由书名清楚说明。我只能说我喜欢它们，并且非常希望你们也会喜欢。

　　一篇悬念小说并不单纯是在讲述这是谁干的，比较好的说法应该是他何时会干。我并不认为如果我告诉你，在这些故事中某某人在做某事，我就泄露了什么机密，因此你不该抱怨事先没有警告你。

　　有人说阅读神秘小说或悬念小说可以消除一个人心中的杀人欲念，让他去欣赏那些时时想犯但又因为缺少勇气而未能付诸实践的罪行。如果此话当真，那么我认为读这种书可以使所有被压抑的欲望——或者至少是正常的欲望得到发泄。我深信这里的几篇迷人故事足以了结关于真实是否比虚构更奇特的无聊话题。

　　我不想花太多的时间来介绍这些小说。记得亨利·詹姆斯①在谈到诸如此类的序言时说过，当一篇文学作品被滔滔不绝地介绍给读者时，当

---

① 亨利·詹姆斯(1843—1916)，美国作家，其作品擅长心理分析。

小说被过分仔细地加以阐述、解释和评注时，那情景就像是一位就餐的客人被警察押送着带进了屋内。希望这是我最后一次做这种事。我宁愿让你们感到这位你们敞开门户迎进的就餐者纯粹是一位陌生人，而周围见不到任何胡乱嚷嚷的警察。

好了，如果你此刻急于想钻进书中，我们最好现在就开始(最后插一句，据我所知，实际上惟一喜欢钻进书中的是我地下室里的蛀虫)。等你开始阅读时，我建议你挑选一个独守空房的时间。如果家里有人，离他们远点。书中有的是教你如何做到这一点的办法。现在就把所有的灯都关掉吧，捧起书在睡觉前读完一篇故事。如果读完后还想再读一篇，那也可以，不过可要当心，读得太多可不大好。总之，这是一部非常要命的书。

夜莺别墅

[英] 阿·克里斯蒂

"再见，宝贝。"

"再见，亲爱的。"

艾丽克斯·马丁倚着小花园的门，目送丈夫朝山庄方向走去，身影越来越小。

他的影子一闪，很快便消失了，但是艾丽克斯仍旧一动不动，眼睛里流露出梦幻般的神情。

艾丽克斯·马丁并不漂亮，甚至也算不上好看，但是脸孔上洋溢着她以前的朋友从未见过的欢欣和温柔。她过得并不轻松，15年来，从18岁到33岁，她得自己照料自己(其中7年还要照料生病的母亲)。她做过打字员，细心，能干，头脑灵活，然而生存的苦斗耗蚀了她年轻脸庞上的温柔的线条。

是的，她曾经爱过一个人，狄克·温迪福德，一位小职员。虽然表面上他俩只不过是好朋友，但是艾丽克斯心里明白，他爱她。为了多赚些钱供弟弟上学，狄克干活十分卖力，因此没有向她求婚。

忽然，时来运转，姑娘出乎意外地从每天沉闷的生活中获得了解脱。一位表亲死了，留给艾丽克斯一大笔钱，好几千英镑呢。这下艾丽克斯可自由自在啦。她迫不及待地准备与狄克成婚。

可是狄克却不热情。他从未明确表示过对她的爱情，此时更不想这样做。他躲着她，变得沉默寡言，闷闷不乐。艾丽克斯很快便明白了原委。她成了有钱的女人，狄克的自尊心不容许自己向她求婚。

她喜欢他这一点，正踌躇着是否应该首先开口，这时第二件出乎意外的事情发生了。

在一位朋友家，她遇见了杰拉尔德·马丁。他疯狂地爱上了她，不到一星期便请求她嫁给他。艾丽克斯一直认为自己沉稳富于理智，然而此时完全乱了方寸。

她用这事刺激狄克。狄克气得几乎不能言语。

"那人完全是个陌生人！你根本不了解他！"

"我知道我爱他。"

"你怎么能知道——一个星期内？"

"并不是所有的人都得花上11年，才知道自己是否爱上了一个姑娘。"

他的脸孔变得死白。

"我一见到你，就爱上你了。我想你也是。"

艾丽克斯很坦率。

"我也这样想，"她承认，"那是因为我还不知道什么是真正的爱情。"

狄克再次冲动起来，先是苦苦哀求，继而威胁恫吓——要惩处那个取代他位置的人。艾丽克斯惊异，在这位她自以为已经很了解的男人身上，竟蕴藏着这么炽烈的感情的火焰。

天空明朗，她倚着木门，回想着那次会面。

结婚已经一个多月，她过得很幸福。但是不时有一刹那的不安闪过脑海，破坏了她的幸福感。不安的原因是狄克·温迪福德。结婚后她有三次做了一个同样的梦。虽然每个梦的场景有所不同，但是主要情节都是相似的。她看见丈夫倒地死了，狄克·温迪福德站在一旁。她清楚是狄克杀了他。

如果说这已经够可怕了的话，还有比这更可怕的，而所有这一切在梦中都显得那样合乎情理，称心如意。她，艾丽克斯·马丁，非常乐意看到他死去。她朝凶手伸出感激的手，向他表示谢意。每次梦境都是同样的结局：她扑进狄克·温迪福德的怀抱。

她从未跟丈夫谈起过这个梦。使她烦恼还不是这一点，难道这是预兆——对狄克不利的预兆？

艾丽克斯被房间内刺耳的电话铃声从沉思中唤醒。她奔进屋内，拿起话筒。突然，感到一阵晕眩，一手扶住墙壁。

"你说是谁？"

"怎么啦，艾丽克斯，你的声音怎么啦，我怎么听不出来。是狄克。"

"哦！"艾丽克斯说，"哦，你——你在哪儿？"

"旅游者之家——是这个名字，对吗？就是山庄里的那家小客店。我休假，在附近钓鱼。我晚上吃过饭后去看看你们二位，行吗？"

"不行，"艾丽克斯叫道，"你别来！"

一阵沉默后，又响起了狄克的声音，音调与刚才略有不同。

"对不起，"他温和地说，"我是不应该打扰你们——"

艾丽克斯急忙打断他。他一定认为她的举动有点反常。是的，是有点反常，她的脑袋一片纷乱。

"我只是想说——我们今晚要出去，"她解释说，尽量使自己的声音平缓些，"你愿意——你愿意明晚来吃饭吗？"

但是狄克还是感觉到她的语调里缺少温柔。

"谢谢了，"他仍旧温和地说，"我随时都可能走。我在等一位朋友。再见，艾丽克斯。"他停了一下，又用老朋友的口吻急忙补上一句："祝你走好运，亲爱的。"

艾丽克斯挂上电话，松了一口气。

"他不应该来，"她自言自语，"他不应该来。哦，我这样做多傻！幸好他不会来。"

她从桌子上拿起一顶老式圆帽，又走进花园，仰头望着镂刻在大门石壁上的四个大字：

　　夜 莺 别 墅

"真是一个富有诗意的名字，不是吗？"结婚前她曾经对杰拉尔德说。他呵呵直笑。

"你是个可爱的小姑娘，"他爱怜地说，"我真不相信你从未听过夜莺唱歌。我真高兴你没听过。夜莺只为情侣歌唱。到了夏天的傍晚，我俩会在自己家外面的院子里听到的。"

艾丽克斯站在别墅的门廊前，回忆起后来他俩真的听见了夜莺的啼鸣，不由高兴得笑了起来。

是杰拉尔德选中夜莺别墅的。他兴冲冲地找到艾丽克斯，告诉她他为他俩找到了理想的住处——简直是一粒明珠！当艾丽克斯见到它时，一眼便爱上了它。它的位置很僻静——距最近的山庄也有两英里——但是别墅本身优雅极了。它的外表很有魅力，内部设有舒适的盥洗室，热水装置，电灯和电话，艾丽克斯真是一见倾心。但是后来他们很失望，杰拉尔德发现房主，一位大阔佬，只卖不租。

杰拉尔德·马丁有些财产，但是大部分入了信用股票，拿不到现钱。他至多只能筹到1000镑，而房主索价3000镑。艾丽克斯已经被它迷住了，这时她毅然拿出自己的一半财富，买下了它。就这样，夜莺别墅成了他们的家。但是过了没多久，艾丽克斯却感到一点懊丧：佣人们都受不了荒野的寂寞，谁也不愿来。幸好她做过家务活，煮饭烧菜，收拾房间还挺内行，只是修剪花坛的事不得不从最近的山庄找来一位老头。他每星期来两次。

艾丽克斯正绕着别墅漫步，忽然惊异地看见老花工正忙着给花坛浇水。她感到惊异，因为他总是星期一和星期五来，而今天是星期三。

"怎么回事，乔治，你在这儿干什么？"她走近他，问道。

"我想您有点意外吧，夫人。是这么回事，星期五山庄那边有表演会，我想，假如我用星期三代替星期五一次，马丁先生和他的好太太是一定不会介意的。"

"当然不会，"艾丽克斯说，"愿你玩得痛快。"

"谢谢。"乔治说，"夫人，我想在您出门以前问问您对这些花坛还有什么吩咐。您估计什么时候可以回来，夫人？"

"我并不出门。"

乔治惊奇地望着她。

"您明天不去伦敦？"

"不去。谁说我要去？"

乔治耸了耸肩膀。

"昨天我在山庄碰见主人，他告诉我说明天你们一道去伦敦，不能确定什么时候回来。"

"荒唐，"艾丽克斯笑道，"你一定听错了。"

她纳闷杰拉尔德究竟说了些什么，使得这老头产生了这种误会。去伦敦？她从未想过再去伦敦。

"我讨厌伦敦。"她突然痛苦地说。

"是吗，"乔治说，"那一定是我听错了。不过他说得很清楚，至少我是这么想的。我很高兴你们留在这儿。我不喜欢跑来跑去，尤其不喜欢伦敦。我从来就不想去那儿。太多汽车——这是当今世界的一大麻烦。人一旦有了车子，哪儿也呆不住。爱姆先生曾经在这儿住过，在拥有汽车前一直是位不好动的老实人，可是一个月前他买了一辆车，于是就把别墅卖了。他得花不少钱侍候那玩意儿，安装电灯什么的，'你再也拿不回本钱，'我对他说。'我可以从这栋别墅拿回2000。'他说。他果然如愿以偿。"

"他拿了3000。"艾丽克斯微微一笑。

"2000，"乔治重复说，"他要的是这个数。"

"是3000。"艾丽克斯说。

"女人永远不会数数，"他坚持说，"难道您想说爱姆先生曾经斗胆向您索过3000的价？"

"不是向我，是向我丈夫。"

乔治又俯身去摆弄花坛。

"是2000。"他肯定地说。

艾丽克斯没再跟他争辩。她穿过花圃，顺手摘了一枝花。

她正朝房间走去，忽然注意到一座花坛前的落叶堆中有一样暗绿色的小东西。捡起来一看，是她丈夫每天记事的笔记本。

她打开本子，饶有兴趣地翻阅着。几乎从结婚伊始，她就发现，虽然他整天嘻嘻哈哈的，但是生活很有规律。他准时进餐，精心安排每天的活动日程。

她看着笔记本，惊喜地注意到写在5月14日下面的简记，"两点半在圣彼得教堂与艾丽克斯结婚。"她笑了，继续翻下去。忽然，她停住了。

"'6月18日，星期三'。——是今天。"

日期下的空白处，杰拉尔德用整洁清晰的笔迹写着："晚上9点。"其他什么也没写。杰拉尔德晚上9点想干什么？艾丽克斯暗自诧异。也许就像她经常在书中读到的那样，笔记本中隐藏着某些不愉快的私情吧，想到这儿，她不禁微微一笑。大概与另一个女人有关吧，她心不在焉地翻着页码，里面有日期，约会时间，某些简短的业务记录和惟一的一个女人名字——艾丽克斯。

她把本子放进口袋，拿着花束走回屋里，心里隐隐感到不安。她想起了狄克说过的话：

"那人完全是个陌生人！你根本不了解他！"

真的，她知道他什么呢？只知道杰拉尔德40岁。在这40年里，一定有许多女人……

艾丽克斯烦躁地摇了摇脑袋。她不应该胡思乱想。她有更要紧的事情得考虑。是否应当告诉丈夫，狄克来过电话？

很可能杰拉尔德已经在山庄那边见到他了。如果是这样，杰拉尔德回来时一定会提到他，那时再平心静气地告诉他也不迟。否则——怎么啦？艾丽克斯感到一种强烈的欲念，想把这件事情隐瞒起来。

如果她告诉他，他一定会建议邀请狄克来夜莺别墅玩玩。这时她只有照实说狄克确实想来，但是她编了个借口没让他来。可是如果他问起她为什么要那样做时，她该如何作答呢？告诉他她的梦？他只会付之一笑——或者把事情弄得更糟。他会笑话她把事情看得太严重，而他根本不这样想。

最后，艾丽克斯虽然感到有点内疚，还是决定不说这件事。这是她头一次对丈夫保留秘密，良心的不安使她很不好受。

吃晚饭时，她听见杰拉尔德从山庄回来了，赶紧钻进厨房，装出忙于做饭的样子，以便掩盖内心的慌乱。

艾丽克斯很快就发现杰拉尔德并没有见到狄克。她松了一口气，不过还是有点不自然，因为她得装作什么事也没有发生过。

直到用过简单的晚餐，俩人在卧室里坐定的时候，艾丽克斯才想起笔记本。

"这是你浇花用的东西。"她把它扔给他。

"哦，我掉在花园里了，是吗？"

"对。现在我可知道你的所有秘密啦。"

"不害臊。"他摇摇头。

"你今晚9点有什么秘密事情？"

"哦！是——"他先是一惊，继而笑了起来，似乎有什么事情使他很愉快。

"是跟一位非常出众的女孩子约会，艾丽克斯，她长着棕色的头发和蓝色的眼睛，很像你。"

"我不明白，"艾丽克斯一本正经地说，"你想隐瞒什么。"

"没有的事。其实这是一个记号，提醒我晚上洗几张照片，你得给我帮点忙啊。"

杰拉尔德·马丁酷爱摄影，有一架性能良好的老式相机。他在别墅下面设有一间专门用来冲晒照片的地下室。

"这事非得9点钟做？"她揶揄地问。

杰拉尔德看起来有点愠怒。

"我的好孩子，"他说，"一个人总得把事情定下时间来，这样做起来才会又快又好。"

有那么两三分钟，艾丽克斯默默地坐着，注视着她的丈夫。他坐在椅子里吸烟，脑袋往后仰着，脸庞上的线条轮廓分明，在暗色的背景中很显眼。突然，艾丽克斯感到一阵恐惧涌上心头，她抑制不住自己，失声叫道：

"杰拉尔德，我真想多多了解你！"

她丈夫惊讶地看着她。

"亲爱的艾丽克斯，你非常了解我。我跟你说过在诺瑟姆伯兰度过的童年，在南非的经历和最近10年在加拿大碰上的好运气。"

"哦！都是生意上的事！"她痛苦地说。

"我知道你的意思——恋爱上的事。女人都是一个样，只对隐私感兴趣。"

艾丽克斯感到喉咙发干，颤抖地说："可是……总会有过……恋爱上的事，我是说。"

又是两三分钟的沉默。杰拉尔德看起来有些烦躁。他一改往常满不在乎的神情，郑重其事地说：

"艾丽克斯，你认为知道得太多是否有好处？是的，我的生活里是有过女人，我不想否认这一点，否则你会不信任我。我惟一可以向你保证的是，她们对我并不重要。"

他的话语非常诚挚，艾丽克斯得到了安慰。

"满意了吗，艾丽克斯？"他笑着问，然后好奇地瞅着她。"是什么使你今晚想起了这种莫名其妙的事？"

艾丽克斯站起来，在屋子内走来走去。

"我也不知道，"她说，"不知道为什么一整天都感到不放心。"

"奇怪，"杰拉尔德仿佛自言自语地说，"真奇怪。"

"为什么？"

"我的好孩子，别问得那么紧。我说奇怪，是因为你平常总是乐呵呵的。"

艾丽克斯勉强笑了笑。

"今天好像事事与我为难，"她说，"连老乔治也不知道哪来些奇怪的念头，说我们要去伦敦。他说是你告诉他的。"

"你在哪儿碰见他？"杰拉尔德忙问。

"他今天与星期五换个班。"

"这个老浑蛋！"他气冲冲地骂道。

艾丽克斯吃惊地看着他。她丈夫的脸孔因为恼怒扭曲起来。她从未见过他这般模样。杰拉尔德看见她惊奇的样子，连忙克制住自己。

"咳，他是个老浑蛋。"他又骂了一句。

"那么你到底对他说了些什么？"

"我？我什么也没说。至少——哦，对，我想起来了，我开了个'一早就去伦敦'的玩笑，他大概信以为真了。要不然是他根本没听清楚。你纠正他了，是吗？"

他急切地等着她回答。

"是的，不过他是那种一旦确认了什么事情便很难纠正的老头。"

接着她又告诉杰拉尔德，乔治对这栋别墅的价钱有多么执拗的看法。

杰拉尔德先是一阵沉默，然后慢吞吞地说："爱姆要求先当场付2000，剩下1000以后几个月内逐步偿清，大概这就是那个谣传的由来，我想。"

"很可能。"艾丽克斯同意。

她抬起头，笑着，指着钟，说：

"我们该去做事了，杰拉尔德，已经9点过5分了。"

一种非常奇异的微笑，浮上杰拉尔德·马丁的脸。

"我改变主意了，"他平静地说，"今晚不洗照片了。"

女人的头脑是不可捉摸的。晚上睡觉时，艾丽克斯感到非常满足。虽然她的幸福感遇到了一点危险，但是现在又恢复过来了。

然而，第二天黄昏，她感到危险又来了。狄克并没有再打来电话，可是她感觉到了他的存在。她仿佛一遍又一遍地听见了他的话语：

"那人完全是个陌生人！你根本不了解他！"

接着出现的是她丈夫的脸孔和他说过的话：

"艾丽克斯，你认为知道得太多是否有好处？"

他为什么要那样说？那些字眼里潜藏着某种警告，就好像他是在

WORLD-FAMOUS SUSPENSEFUL *STORIES*

说："你最好别打听我的过去，艾丽克斯，否则你会大吃一惊。"

到了星期五早晨，艾丽克斯已经确信，杰拉尔德的生活里确实有一位女人——而他竭力对她隐瞒事实的真相。她的逐渐形成的嫉妒感现在变得空前强烈。

他那天晚上9点钟是不是要去见一位女人？他说准备去洗照片，是否在撒谎？

仅仅三天以前，她还自以为对丈夫十分了解，而现在他对她似乎成了一个一无所知的陌生人。她想起了乔治的毫无道理的恼火——那与平常温文尔雅的他简直判若两人。也许那不过只是一桩小事，但却使她感觉到，她对这位是她丈夫的男人确实所知甚少。

下午艾丽克斯想到山庄去买些东西。她叫杰拉尔德留在家里，准备自己去。出乎意料的是，他断然不同意这样做，坚持她留在家里，他去买。艾丽克斯没再坚持，但是心里愈加不安。他为什么不让她去山庄？

忽然她悟出了使一切疑问迎刃而解的答案。虽然杰拉尔德什么也没说，但他确实碰见了狄克。她对他怀有戒心，他对她同样也会怀有戒心。他一定是想阻止她见到狄克。这个解释是如此令人信服，她迫不及待地接受了它。

可是喝茶时她又迷惑了。她苦苦地与一种诱惑搏斗着，最后，在再三叮嘱自己去清理杰拉尔德的房间后，她走下楼。她拿起一把拖把，试图使自己变成一位能干的家庭主妇。

"但愿我能肯定，"她不断重复，"但愿我能肯定。"

她企图使自己不相信，杰拉尔德会为了过去的一位女人而不顾一切。但是那种诱惑愈来愈强烈，她终于抵抗不住，顾不了内心的愧疚，拼命翻看信袋、抽屉和丈夫的上衣口袋。只有两个抽屉没动：梳妆台下的抽屉和写字桌左边的抽屉都上了锁。艾丽克斯什么都不顾了，她相信从这两个抽屉里的一个里，一定可以找出那位充满她脑海，想象中的女人的蛛丝马迹。

她想起杰拉尔德把钥匙丢在楼下的桌子上，便取了来，一把一把试着开。第三把打开了写字桌的抽屉。艾丽克斯连忙拉出来。里面有一本支票和一些钞票，还有一扎用丝带束好的信件。艾丽克斯喘着气解开丝带。

她脸红了，把信放回抽屉，关上，锁好。那是她结婚前写给杰拉尔德的情书。

接着她又转向梳妆台。她已经不期望能够找到她想找到的东西了，只是想完成这个寻找的过程。

杰拉尔德的钥匙竟然没有一把打得开它。艾丽克斯不甘心，到其他房间又搜出另一串钥匙，终于发现开碗柜的钥匙也能开梳妆台的抽屉。她拉出抽屉。里面除了一叠又旧又脏的剪报，什么也没有。

艾丽克斯大大地松了一口气。她拿起剪报，想看看是什么东西使得杰拉尔德如此有兴趣保存下来。几乎全是7年前关于查尔斯·莱默特案件情况的美国剪报。查尔斯·莱默特被怀疑为了谋财与女人结婚，然后一个个弄死她们。在他租过的房屋地板下面发现了人骨，绝大多数嫁给他的女人都下落不明。他在法庭上为自己做了很成功的辩护，并且得到一些精明的美国律师的协助。法庭无法证实他的谋杀罪，只找到一些小罪名将他投入监狱。艾丽克斯记得这件激动人心的案子，并且记得大约3年前，莱默特越狱逃走了，后来一直未被抓回来。英国的报刊曾经讨论过他的古怪脾性和吸引女性的奇异的魅力，并且描绘过他在法庭上的精彩表演以及会猝然发作的心脏病等。

一张剪报上登了一幅他的照片。艾丽克斯仔细看着。这是一位蓄着胡子的沉思的男人。

照片上的人似曾相识。突然，随着一阵惊颤，她想起了杰拉尔德。那是他的眼睛。她细读图片下面的说明。莱默特总在日记本上注明一些日期，报纸认为那是他谋杀女人的时间表。法庭上，一位妇女说莱默特左手腕的内侧有一道伤疤。

艾丽克斯手里的报纸掉了。她用手支撑住自己。她丈夫左手腕的内侧，有一道伤疤。

屋子在旋转。杰拉尔德·马丁就是查尔斯·莱默特！

她一瞬间什么都明白了，所有孤立的线索一下便串连了起来。买房子的钱是她的——她自己的。她的梦也有了眉目。虽然她并没有能够感觉到，但是在她的心灵深处，她是怕杰拉尔德的。她希望逃离他，不由自主地寻求狄克的帮助。这就是她为什么如此迅速地接受事实真相的原因。莱默特要弄死她，很快，也许就在……

她想起了什么，几乎要哭出声了。星期三晚上9点。地下室的石板可以轻而易举地掀起来！他以前曾经在地下室内埋藏过被他弄死的女人。一切都已经为星期三晚上准备好了。可是他为什么要把时间写在笔记本上？杰拉尔德总是把生意上的事写下来，对他来说，谋财害命就是生意。

谁来救她？谁有可能救她？他会放过她吗？不会。她突然想到了老乔治。她现在明白她丈夫为什么发火了。他煞费苦心四处宣称明天他们要去伦敦。可是老乔治出乎意料地换了工作日期，向她问起了去伦敦的事，而她矢口否认。如果以后老乔治对别人谈及那天的对话，那冒的风险可就太大了。多玄哪！幸好那天偶然谈到了那个话题，否则……艾丽克斯不寒而栗。

没时间浪费了，她得赶紧离开——在他回来以前。她迅速把剪报放回原处，关上锁好。忽然她像石头似的呆住了。她听见了大门启开的声音。她丈夫回来了。她先是一惊，然后蹑手蹑脚地走到窗前，透过垂下的窗帘往外瞅。

是的，是她丈夫。他微笑着，低声哼着一支什么曲子。他手上拿着一样把她吓得几乎晕倒的东西———一柄铁铲！

艾丽克斯立刻明白了，是今晚。

还有机会。杰拉尔德哼着歌，转到屋子背后。她毫不犹豫地冲下楼梯，奔出别墅。她刚跑出门，他从屋子的另一侧转了出来。

"嗨，"他说，"跑这么快上哪儿去？"

艾丽克斯尽量保持像往常一样的平静。只要她不使他起疑心，就还有逃生的机会。

"沿着马路随便走走。"她的声音又弱又急。

"好吧，我陪你一块儿走走。"

"不，杰拉尔德，我不舒服——想一个人走。"

他注意地望着她。她觉得他的眼睛里流露出了一丝疑虑。

"怎么了，艾丽克斯？你脸色苍白，全身哆嗦。"

"没事，"她努力作出微笑的样子，"就是有点头疼，散散步就会好的。"

"哦，你总不能说你不需要我吧，我陪你去。"

她无法拒绝，万一被他看出破绽……

她尽量装着若无其事，但总是怀疑他在身旁打量她。回到屋里后，他让她躺下，像任何体贴的丈夫一样照顾她。艾丽克斯感到空前绝望，就好像自己的手脚都被捆起来了似的。

他一刻也不离开她，跟她进厨房取出早已准备好的冷盘。她孤独地面对这个男人，明白此刻是命运攸关的时候了。只有几里外尚有一线救援的希望。她此刻惟一的念头是想法使他放心地离开她一会儿，让她有时间进到大厅打电话呼救。

有一刹那她觉得或许能使他改变主意。她刚想告诉他说狄克可能晚上会来，但是转念一想，觉得无济于事。他不会放弃第二次机会，他脸上坚定的神色使她感到恐怖。他可以轻易地弄死她，然后告诉狄克他们晚上有事要出去。哦，如果狄克晚上来就好了！如果狄克……

忽然她的脑海闪出一个念头。她看了看身边的他，生怕他会看透自己的想法。她有计划了，勇气也来了，又恢复了常态。

她煮好咖啡，就像平常天气晴朗时一样，坐在屋外慢慢啜。

"哦，对了，"杰拉尔德忽然说，"我们等一会儿去洗相片。"

艾丽克斯的血液仿佛凝固了。

"你不能自己去洗吗？我今晚很累。"她说。

"要不了多久，"他笑着说，"我肯定你过后就不会感到累了。"

他似乎对这句话很开心。艾丽克斯闭上双眼。得实施自己的计划了。

她站起身。

"我去给肉店老板打个电话，"她尽量声调自然地说，"你不用起来。"

"给肉店老板？晚上？"

"他的店铺是关门了，亲爱的，但是他呆在家里。明天是星期六，我忘了吩咐他周末为我留点猪肉。那老头可听我的话了。"

她快步走进屋内，关上房门。只听杰拉尔德在喊："别关门！"

"你大概以为我想跟肉店老板谈恋爱吧，亲爱的？"她笑着回答。

她进到大厅，连忙拿起话筒，拨通了"旅游者之家"。

"温迪福德先生在吗？我要跟他说话。"

她的心跳一阵紧似一阵。门被推开了，她丈夫走进大厅。

"走开，杰拉尔德，"她愤愤地说，"我讨厌别人听我打电话。"

他笑着坐了下来。

"你肯定是在跟肉店老板通话吗？"

艾丽克斯绝望至极。她的计划失败了。狄克马上就会来接电话，到时候她敢冒险呼救吗？

焦急中她不由自主地用手按动话筒上的电键，另一个计划一刹那闪过她的脑际。当电键被按下时，另一端就听不见声音，松开后又可以听见。

"我得保持镇定，想好字眼。我能办得到，一定能。"她暗自鼓励自己。

这时她听见了狄克的声音。

艾丽克斯深深吸了一口气，松开电键，说：

"我是马丁太太——在夜莺别墅跟你通话，请(按下电键)明天一早带上供两个人吃的牛肉(松开电键)来一趟，是件要紧事。(按下电键)谢谢你，海克斯沃思先生，希望你原谅我这么晚吵醒你，但这的确是件(松开电键)非常要紧的大事。(按下电键)好吧，明早(松开电键)快些来。"

她放下电话，把脸朝向她丈夫。

"你就跟肉店老板说这些？"他问。

"女人就这样。"

她因为激动而颤抖不已。他一点也没发觉。狄克即使不明白是怎么回事，也会来。她走进会客厅，拧亮灯。他跟着她。

"你看起来精神很好。"他诧异地看着她。

"是的，我的头不疼了。"

她在自己常坐的地方坐下来，微笑着，看着坐在对面靠在椅子上的丈夫。她有救了，现在是8点25分，狄克9点以前准会来。

"我不喜欢你刚才煮的咖啡，太苦了。"

"这是新煮法，如果你不喜欢，以后就不这样煮了，亲爱的。"她说。

艾丽克斯拿起了针线，杰拉尔德则在翻书。

他抬头看了看钟，放下书。

"8点半，该去地下室做事了。"

针线从她的手指缝里滑落下来。

"哦，先别去，等到9点再去吧。"

"不行，我的孩子——8点半，我定好的时间，这样你可以早点休息。"

"我还是希望等到9点。"

"你知道，我定下时间，从不改变。走吧，艾丽克斯，我不想再浪费时间了。"

艾丽克斯仰头望着他。他的手在颤抖，眼睛熠熠闪亮，舌头舔着干裂的嘴唇。他已经顾不得掩饰自己的企图了。

艾丽克斯心想，"是啊，他熬不住了——他都快疯了。"

他走过去，抓住她的手臂，想拉她起来。

"走吧，孩子，要我抱你过去吗？"

他轻松地说，声音里夹着一股寒气。她使劲推开他，背靠墙壁，感到很绝望。她什么办法也没有，而他正朝她逼过来。

"怎么，艾丽克斯——"

"不，不。"

她大声叫着，用手拼命抵抗他。

"杰拉尔德，别这样——我有事告诉你——有事向你坦白——"

"坦白？"

"是的，坦白。"她根本不知道自己说些什么，只是希望挑起他的好奇心。

一片疑云浮上他的脸孔。

"一位旧情人？"

"不，是其他事，可以称之为……对，称之为罪行吧。"

她发现自己说准了，他显然来了一点兴致。她勇气大增，觉得自己掌握了主动。

"你最好坐下。"她说。

她穿过屋子，在老地方坐下，拿起针线，脑袋里拼命编造一个能使他感兴趣的谎言，希望能坚持到救援到来。

"我对你说过，"她缓缓开始说，"我做过15年的打字员，事实并不完全如此。中间有两次插曲。第一次是我22岁的时候，我碰见一位老头，他有点财产。他爱上了我，向我求婚。我同意了，嫁给了他。"她停了一会儿，说："我说服他用我的名字保了人寿险。"

她瞥见他的眼睛里掠过一丝神采，信心更足了。

"战争期间我在一家医院干过一阵，在那儿接触过各种各样的毒药。"

杰拉尔德显得兴趣盎然。她成功了。她偷眼瞟了一眼钟，8点35分。

"有一种毒药——是一种白粉末——只需一丁点便可致人死命。你可能对毒药也知道一些吧？"她急切地问。

"不知道。我对毒药所知甚少。"

"你听过一种叫天仙子碱的毒药吧？这种毒药有剧毒，而且在尸体内不留任何痕迹，医生肯定会以为死者是心脏病发作而死。我偷偷拿了一点这种毒药藏起来。"

她打住了。

"说呀。"他催促道。

"不，我不敢说，我不敢告诉你，下次吧。"

"就现在，我想听。"他不耐烦地说。

"结婚后，我对老丈夫非常好，他逢人便夸我是个好妻子，左邻右

舍都知道这一点。我每晚都给他煮咖啡。一天晚上，我把毒药放进了他的杯子里……"

艾丽克斯停住，神经质地摆弄着手中的针线。她从来没演过戏，但此时她真可以称得上是全世界最出色的女演员。她的全部身心已经进入到投毒者的角色里去了。

"一切都很平静，我坐着，望着他。他先轻声咳嗽了一阵，说想透透气。我打开窗户，他说他站不起来。后来，他就死了。"

她停住，微微一笑。此时是8点45分。但愿狄克快来。

"那笔保险有多少钱？"他问。

"2000多镑。我肆意挥霍，全花光啦。然后我又回去上班，但是并不想老待在那儿。接下来我又碰见了另一个男人，是个小伙子，长得挺漂亮，也挺有钱。他不知道我嫁过人。我们在苏塞克斯悄悄结了婚。他不想保人寿险，但这没关系，他死后财产照样得归我。像第一个丈夫一样，他也喜欢我给他煮的咖啡。"

她若有所思地笑了笑，加上一句："我很会煮咖啡。"

然后她又接着说：

"我们有好些朋友，他们得知我丈夫因为心脏病发作晚饭后猝然死亡的消息，都非常难过。我不喜欢那个医生，他当然并不怀疑我，但是对我丈夫的死感到太突然。这次我拿到了4000多镑，存了起来。接着，你瞧……"

她突然被打断了，杰拉尔德·马丁一只手护住喉咙，一只手哆哆嗦嗦地指着她，说：

"咖啡——那咖啡？"

她惊异地望着他。

"现在我明白为什么那么苦了，你这个妖精！你下了毒！"

他抓住椅背，想朝她扑去。艾丽克斯退到壁炉边，异常惊骇。她刚想做点解释，但马上改变了主意。她鼓足勇气，坚定沉着地对他说：

"对，我下了毒。毒性已经开始生效了，你别想站起来……你别想动……"

哦，什么声音？她听见马路上传来脚步声，接着是大门被推开的声音。脚步声进到了花园，又进到了大厅。

"你别想动。"她又说了一句。

她从他身边溜过去，冲出客厅，扑倒在狄克的怀抱里。

"怎么回事，艾丽克斯！"他大惊。

他转身对跟他一起来的一位高大的警察说：

"去看看里面发生了什么事？"

他小心翼翼地把艾丽克斯平放在一张躺椅上，俯下身子，温柔地说：

"我的小宝宝，可怜的小宝宝，他对你怎么啦？"

她的睫毛动了一下，轻声呼唤着他的名字。

警察碰了碰狄克的胳膊，说：

"里面只有一位男士坐在椅子里，他好像因为惊恐过度，已经——"

"什么？"

"死了。"

"他终于，"她梦呓般地说，"死了。"

蓝十字架

[英] G·K·切斯特顿

　　一天早上，一艘客船抵达哈威奇港，从船舱中像拥出一群苍蝇似的拥出一群乘客，我们要尾随的那个男人就在其中。他看上去没有什么与众不同的地方。他头戴一顶灰色帽子，帽子上缠着浅蓝色的飘带，穿了一件浅灰色外衣，外面套了一件白色背心。他的脸孔肤色很深，蓄着短胡子。他悠然地吸着烟，谁也不会想到他那件灰色外衣下别着一支装满子弹的枪，白背心里藏着一张拘捕证，灰帽子下面盖着的是全欧洲最聪明的大脑瓜。他就是沃伦汀，巴黎警察局局长，全世界最能干的侦探。他正从布鲁塞尔前来伦敦，执行本世纪最重大的一次拘捕任务。

　　此时弗兰比正在英国。三个国家的警方联合追踪这名要犯已有一段时间，从甘特到布鲁塞尔，从布鲁塞尔又到了荷兰的胡克。他被认为企图利用国际教士大会干一些罪恶勾当。会议即将在伦敦召开。他也许会装扮成秘书，或者装扮成其他无关紧要的人混入会场，沃伦汀对此无从猜测。没人能猜测弗兰比的诡计。

　　自从弗兰比突然停止给世界惹麻烦以后，世界已经有许多年没出乱子。在他最猖狂的那段岁月里，弗兰比这个名字在欧洲几乎家喻户晓。每天清早人们都可以从报纸上读到他的犯罪活动。他是个气力和块头都极大的家伙。传说他曾把一个法官摔翻在地，一屁股坐在法官的脑袋上，说是要让法官"清醒清醒"。又传说他曾两只胳膊一边各挟住一名警察在马路上逃窜。这些传说谈及的只是他的体力，他的脑瓜也十分精明。他的每次作案都是一篇奇特的故事。他曾经单枪匹马抢劫了伦敦泰罗林牛奶公司，没碰一头奶牛、一辆奶车和一滴牛乳，却使得上千人从他手中订购牛奶。他只是玩了一个小花招，把订户的奶瓶移到他收过钱的人家门口。在他作过的案子中经常可以见到此类诡计。有一次他半夜深更涂改了一条街上的所有门牌，把一名有钱游客引入圈套。还有一次他假造了一只随时可移走的公共邮筒，竖在城内僻静处，坐等一些傻瓜把装钱的信封投入筒内。他反应迅速，动作敏捷，虽然个头高大，翻窗逾墙的功夫都十分到家。因此，沃伦汀深知，即便发现了弗兰比，任务也还远远没有结束。

可是怎样找到弗兰比呢，光是这一点就令沃伦汀伤透脑筋。

有一点弗兰比无法掩饰：虽然他擅长于乔装打扮，但他无法掩饰自己的身高。只要沃伦汀那双锐眼发现了高个水果商，或者高个士兵，甚至高个女人，他都打算先逮住再说。但是火车上根本没见到身高类似弗兰比的人。沃伦汀肯定那家伙不在这伙乘客当中。除了他自己，只有六名乘客在哈威奇上车。一名矮个铁路官员去伦敦，三名矮个农民去下两个站，一名从伊赛克斯来的很矮的寡妇，还有一名从伊赛克斯来的很矮的教士。沃伦汀看清楚这一切后，差点笑了起来。矮教士有一张迟钝的圆脸，眼睛像北海一样迷茫，他携带了好几件用棕色纸扎起来的包裹，自己都照管不过来。伦敦召开的世界教士会议像从地球角落里掘出了些稀有动物似的，从各个偏僻的村庄里掘出了好些这类眼神呆滞的怪人。任何人见到他都会产生怜悯之情。他有一柄大破伞，搁在地板上。他用傻乎乎的口吻对车厢里的每个人解释说，他得格外小心，因为他的一件棕色纸包内裹着"镶有蓝色石头"的银制玩意。他那结结巴巴的伊赛克斯土话和简单的教士表达方式让沃伦汀快活了好一阵。车到斯特拉福德站台，那人抱着行李下车，又转回来拿破伞，这时沃伦汀警觉地意识到，不应该老听他吹嘘银器，应该注意他与之谈话的那些人。沃伦汀一一审视车厢内的乘客，富的或穷的，男的或女的，看看有谁达到6英尺高。弗兰比身高6英尺再加6英寸。

沃伦汀在伦敦站台下车，确信罪犯就在附近。在到苏格兰场安排了必要时的协助事宜后，他开始到大街小巷四处兜圈子。在穿过维多利亚广场时，他忽然停了下来。这是一座宁静得有点异常的广场，在伦敦并不多见。幢幢平顶楼房看上去又富丽又空阔。广场中央的一堆灌木丛看上去很孤单，像是大洋中的一座孤岛。周围四边有一边比其余三边要高出许多，像是舞台幕壁，中间有一家餐馆。这餐馆特别显眼，一排台阶从马路边伸向大门。沃伦汀站在淡黄色的门帘前，沉思良久。

沃伦汀是个又朴实又多思的人。他所有精彩的成就都来自耐心的推理和清晰的法兰西式思考。正因为懂得推理，他同时也懂得推理的局限性。对摩托车一无所知的人才会没有油也空谈开车；对推理一无所知的人才会毫无线索也空谈推理。弗兰比虽然在哈威奇失去踪迹，但是如果他到了伦敦，便会以某种面目出现：公园里酣睡的一名高个乞丐或者饭店内的一名高个管理人员。沃伦汀在失去线索后，自有其行动方式。

在这种情况下他相信偶然。一旦他无法进行合理推理，他就小心翼翼地进行不合理的推理。他没去那些该去的地方，譬如银行、警察局、会议中心等等，而去了那些不该去的地方。他去敲空无人住的房子，漫无目的地在死胡同和堆满垃圾的小巷内溜达。他自有其理由为这种奇怪方式进行辩护。他说假如他手头掌握了罪犯的蛛丝马迹，这无疑是天底下最蠢的行为。但是如果没有一丝线索，这种方式就很不错，因为在这种情况下，引起追踪者注意的可疑迹象也会引起被追踪者的注意。一个人在这儿开始行动有可能导致另一个人在这儿停止行动。通向餐馆的台阶和餐馆异乎寻常的安静，使沃伦汀产生了奇想。他踏上台阶，走进餐馆，在一张餐桌前坐下，要了一杯咖啡。在等咖啡的时候，他一直想着弗兰比。那罪犯喜欢冒险，他可以制定计划并将计划付诸实施。而沃伦汀只能等着瞧，盼望他会走错一着棋。

沃伦汀把咖啡杯缓缓举到唇边，又迅速放下。他尝到了咸味。他看着刚才装过白色颗粒的瓶子，那是一只糖瓶。他纳闷里面怎么会是盐，四处张望，想看看其他餐桌上是否还有类似的瓶子。有，有两只装得满满的盐瓶。也许另有名堂，他抓过来尝了尝，里面是糖。沃伦汀顿觉蹊跷，环顾餐馆四周，想看看是否还有类似把糖放在盐瓶里又把盐放在糖瓶里的怪现象。除掉一面白色墙壁上有一两块深色印痕之外，整个餐厅显得洁净、舒适，没有什么异常之处。他拉铃叫来侍者。

侍者赶紧跑过来，头发凌乱，睡眼惺忪。沃伦汀叫侍者尝尝糖，看看这是否与这家餐馆的声望名符其实。结果那侍者被吓醒了。

"你们每天早上都与客人开这种玩笑吗？"沃伦汀问，"老玩互换糖盐的游戏不觉得乏味？"

侍者好容易弄懂了沃伦汀的讽喻，连忙解释说餐馆决无此种企图，这肯定是件奇怪的疏忽。他拿起糖瓶瞧瞧，又拿起盐瓶瞧瞧，愈来愈感到惊奇和迷惑。他说了声抱歉，奔回柜台，很快又领着经理一道出来。经理也瞧瞧糖瓶和盐瓶，脸上露出困惑的神色。

突然那侍者脱口而出："肯定是那两个教士！"

"哪两个教士？"

"就是那两个把酒泼到墙上的教士。"

"把酒泼到墙上？"沃伦汀惊诧不已。

"就是，就是，"侍者激动地说，用手指着白色墙壁上的深色印痕，"就泼在那！"

沃伦汀用询问的眼光望着经理，经理详细地叙述道：

"正是这样，先生，"经理说，"正是这样，虽然我弄不明白这样做是什么意思。餐馆刚刚开门营业，两个教士就进来喝酒。两人都很少说话，其中一个付了钱后就走了，另一个动作稍微慢些，花了好几分钟整理东西，后来也走了，走之前抓起喝剩一半的杯子，把酒直泼到墙上。我和侍者那阵子都待在里屋，等我闻声跑出来看到墙上的酒渍时，餐馆内已空无一人。这事当然算不了什么，但教士做这种事未免太让人惊讶了。我想追上他们，但他们已经走远。我远远瞥见他们拐进了加斯泰尔斯大街。"

沃伦汀付了钱，头戴灰帽，手提拐杖，"砰"地一声在身后关上玻璃门，走进另一条街。即使在这样兴奋的时刻，他的眼神也显得淡漠沉着。前面一座商店的橱窗像一道亮光闪进他的眼帘，他走过去瞧了瞧。这是一家水果店，空地上陈放着一堆堆鲜果，上面插着注明品名和价钱的标签。前面两堆一堆是桔子，一堆是花生。花生堆上有一张用蓝色粉笔写明的标签："上等柑桔，一便士两个。"柑桔堆上则有一张标签："特等花生，每磅四便士。"沃伦汀看着这两张标签，心想又碰上怪事了。红脸店主正瞪着街上发愣，看上去窝了一肚子气。沃伦汀把他叫过来，提醒他看看价牌标签。店主一言未发，板着脸掉换了标签。侦探挂着手杖，再次仔细打量商店，末了，他说："对不起，我想问你个问题。"

红脸店主显得有些敌意。"两张标签放错了位置，"沃伦汀说，"大概是两名教士玩弄的把戏？一位高个，一位矮个？"

店主的眼睛暴鼓起来，好像要扑上去掐死这位陌生人。他气呼呼地说："我不知道你是干什么的，你给我转告他们，如果再来翻我的苹果，就是教士我也要扒下他们的皮！"

"是吗？"侦探不无怜悯地问，"他们翻你的苹果？"

"有个人翻啦，"店主愤愤地说，"他把苹果全弄翻到马路上，要不是我得去捡苹果，我非把那浑蛋宰掉不可。"

"他们往哪儿去了？"

"左面的第二个路口，后来又穿过广场。"

"谢谢，"沃伦汀转身便走。在马路对面第二个路口他碰上一名警察，问道：

"见到两个教士打这儿路过吗？"

那警察呵呵笑起来，"见到，见到，先生，其中一位喝得太多，站在马路中央茫然不知该……"

"往哪个方向去了？"沃伦汀忙问。

"坐上那边一辆黄色公共汽车走了，"警察说，"那些车开往海姆斯泰德。"

沃伦汀掏出身份证，马上说："快叫两个人跟我一道追踪那两个家伙！"

不到半分钟，来了一名便衣警官和一名便衣警察。

"呃，先生，"警官问，"怎么回事……"

"先上那辆车，我再跟你们说。"沃伦汀把手杖朝前面一挥，一边说，一边疾步穿过熙熙攘攘的广场。三人在黄色公共汽车的顶层坐定，警官气喘吁吁地说："坐出租车可以快四倍。"

"正确，"沃伦汀回答，"如果只是想赶去某个地方的话。"

"那你打算去哪儿？"

沃伦汀神色焦虑，猛吸了几口烟。"假如你知道一个人想干什么，就赶到他前面。如果仅仅只是猜测他想干什么，就跟在他后面。他走你也走，他停你也停，亦步亦趋。这样你看到的也就是他看到的，你做的也就是他做的。这期间我们所要做的就是仔细搜寻异常迹象。"

"什么异常迹象？"警官问。

"任何异常迹象。"

黄色公共汽车朝北面行驶，速度非常缓慢，像是开了好几个世纪。沃伦汀不再多做解释。两位伙伴也许是对他的用意感到疑虑，也许是因为感到饥饿，变得沉默起来。钟表指针已悄悄爬过晚饭时间。通往伦敦北部的公路漫无尽头，冬日的太阳开始沉落。沃伦汀依旧不动声色地坐着，观察马路两旁一幢幢闪过的商店和楼房。车子经过加姆登时，俩伙计几乎已经睡着。这时沃伦汀猛然跃起，一只手各拽住一名伙伴，大叫停车。

两名警察跟跄下车，几乎跌倒在马路上。他们正茫然四顾，发现沃伦汀兴奋地指着马路左边的一面橱窗。那是一面很大的橱窗，构成了一家餐馆的部分门面，上面写着"饭馆"二字。橱窗玻璃被砸碎了，中间有个大黑洞，像个冰窟窿。

"记号找到了，"沃伦汀挥了挥手杖，"碎橱窗的地方。"

"什么橱窗？什么记号？"警官忙问，"怎么回事？有什么证据？"

沃伦汀非常气愤，差点把手杖掰成两截。

"证据！"他叫道，"上帝！这人要证据！当然没什么证据，可是除此之外我们还能干什么？难道不去追踪可疑迹象而是回家睡大觉？"

他走进餐厅，两个伙伴跟在后面。他们在一张小餐桌前坐下，一边大嚼晚饭，一边从里面观察橱窗上的那个大窟窿。但是没能发现什么。

"你们的橱窗碎了。"沃伦汀一边付钱，一边对侍者说。

"哦，是的，先生，"侍者答道，"是件怪事，先生。"

"怪事？说来听听。"

"呃，是这样的，两位穿黑衣服的绅士走进来，"侍者说，"就是两位现在满城随处可见的那种教士，要了一点很便宜的饭菜，其中一个吃完付钱后就走了，另一个刚要走，这时我在数钱，忽然发现那人多给了我三倍的饭钱，'喂，'我叫住那位快要走出门口的教士，'你给多钱了。'我说。'给多了？'他问。'是的，给多了。'我一边说，一边想把账单递给他。咳，真是件怪事。"

"怎么回事？"

"呃，我明明记得自己在账单上写的是4先令，可是现在上面却变成了14先令。"

"噢！"沃伦汀一声惊叹。

"这时门口那位教士说，'真抱歉，让你糊涂了，那是橱窗的钱。''什么橱窗？'我忙问。'就是我现在打碎的这面橱窗。'说着，他用伞'哐啷'一下捅碎橱窗，扬长而去。"

这时警官讥讽地说："我们是在跟踪精神病患者吧。"

侍者继续兴致勃勃地说下去："我惊讶万分，一时竟不知道该怎么办。那人走出门口，在拐角处赶上同伴，朝巴洛克街方向疾步而去，我追都追不上。"

"巴洛克街？"沃伦汀立即朝那条街奔去，那动作跟那两位陌生人一样快。

他们来到狭窄的砖瓦小巷。两旁街灯极少，连窗户也没见到几扇。太阳已经西沉，天空愈来愈灰暗。就连两位伦敦警察也很难弄清楚他们行走的方向。警官肯定他们最终会抵达西北郊的海姆斯泰德庄园。一扇亮着灯光的窗户引起了沃伦汀的注意。他们循光线来到一间装饰得挺漂亮的小糖果店。犹豫片刻后，沃伦汀先走进去。他沉着脸站在色彩鲜艳的店铺中央，买了一点糖果。他本想问店主几个问题，但是觉得气氛不合适。

一个年轻的瘦女人冷冷地瞅着他。但是她一看见门口随后出现的便衣警察，忽然像是明白了什么。

"哦，"她说，"你们是来取包裹的吧，我已经寄走了。"

"包裹？"沃伦汀问。

"我是说那个绅士留下的包裹——就是那位教士先生。"

"上帝，"沃伦汀惊喜地俯身向前，"快说说是怎么回事！"

"呃，"那女人有点犹豫地说，"半小时前来了两个教士，买了一些糖果，并且聊了一会儿天，然后就朝山庄方向去了，可是没过多久，一个教士跑回来说：'我是不是忘了个包裹在这儿？'我四处找了找，没看见什么包。他见我找不到，就说，'没关系，假如你找到了，请按这个地址给我寄来。'说着他留下了地址和1先令。他走后我又仔细找了找，果然找到了他忘拿的一个棕色纸包，于是就按他的地址寄走了。现在我可记不清那地址，好像是威斯特敏斯特的什么地方。这事看来挺奇怪的，也许警察会来找麻烦。"

"会的。"沃伦汀急切地问，"海姆斯泰德山庄离这儿近吗？"

"往前面走15分钟，"那女人说，"走到一块空地上就是。"

沃伦汀听罢拔腿就往那个方向跑。其余两人紧随其后。

巷子又窄又黑，当他们跑到山庄的空地时，发现天色还不算太暗。沃伦汀站在一块斜坡上，眺望山庄，找到了他追踪的目标。

在远处灰蒙蒙的暮色中有两个穿戴得像教士的黑影。虽然那黑影小得如同虫子，但沃伦汀可以分辨出其中一个比另一个要小得多。那高个有点驼背，但是身高肯定超过六英尺。沃伦汀挥动手杖，奋力向前追赶。随着距离缩短，黑影越来越大，他注意到了一些令他又吃惊又欣喜的事情。那高个还不能断定是谁，那矮个却可以肯定就是在哈威奇火车上碰见的那个老是唠叨棕色纸包的伊塞克斯教士。

现在一切已经清楚。沃伦汀在调查中得知，那天早上伊塞克斯的布朗神父带了一只镶蓝宝石银十字架——一件稀世古玩——来伦敦参加会议，并准备在大会上向各国教士们炫耀，显然那十字架就是那只"镶有蓝色石块"的银器；而布朗神父就是火车上那个矮个男人。看来沃伦汀发现的事情弗兰比也发现了。弗兰比无所不知。弗兰比也听说了银十字架的事，于是想弄到手，这是自然而然的。要想对这样一位携着破伞和包裹的傻瓜下手简直轻而易举。因此，假若弗兰比装扮成一位教士把那傻瓜骗进海姆斯泰德庄园，显然不足为怪。罪行已经清楚，沃伦汀一面可怜那个傻乎乎的教士，一面对弗兰比挑选这样单纯轻信的人作哄骗对象感到气愤。可是当沃伦汀回忆一连串把他带到这儿来的线索时，却又感到纳闷。从伊塞克斯一位神父手中窃取银十字架与泼酒到墙壁上何干？与混淆花生米和柑桔价钱或者先付钱后砸碎橱窗何干？他已来到跟踪的尽头，却又失去了跟踪的焦点。他找到了罪犯，却不知道这究竟是怎么回事。

两个被追踪的对象像两只黑苍蝇在一座山丘上爬行，似乎在侃侃而谈，并不在乎上哪儿去。他们正朝山庄内更为荒凉更为沉寂的深处走去。警察距离他们愈来愈近，不得不依靠树木掩护，或者俯身在草丛里匍匐前行。距离已经很近，已经可以听见他们交谈的声音，但无法分辨他们在说什么，只是听见一个尖声尖气近似童声的声音不断说出"理由"二字。前面出现了一片稠密的灌木丛，侦探们一度失去了被追踪者的方向。花了十来分钟才找到一条通往山顶的小道。他们爬上山顶。山庄的景色优雅而凄凉，在一棵树下一张破旧的长椅上，那两个教士正坐在那里继续严肃地交谈。沃伦汀对伙伴作了个手势，随后大家一起悄悄爬过去。在一棵大树下，沃伦汀第一次听清楚了那两个教士的谈话。

听了半分钟，沃伦汀忽然感到极度疑虑。两个教士说起话来纯粹像教士，充满宗教气氛，又专注又沉静。伊塞克斯的矮教士说得不多，圆脸朝向熠亮的星空；另外那个人则微低着脑袋，似乎不想望见星空。再也听不到比这种对话更教士化的对话了——

布朗神父说："——中世纪时人们认为天国永远不会变化，不会毁灭。"

那位高个教士说："嗯，可是谁又能说没有更美妙的世界在我们之上，而且那些世界……"

沃伦汀咬着自己的手指。他好像已经听见他带来的那两个英国佬正躲在树后，窃笑他跑到这荒郊野岭来偷听两个疯子教士的私房话。这时布朗神父又说：

"瞧那些星星，多像美丽的宝石，没有理由对天空上那些美妙的东西产生邪念，不管在平原上开采黄金，还是在山谷中挖掘钻石，你都可以看见这样的招牌："切勿偷窃'。"

那高个教士低着头，缄默良久，然后说：

"嗯，我仍然认为另有更高尚的世界，天国的秘密难为人知……"

又过了一会，他仍旧低垂着头，补上一句：

"把那蓝十字架给我吧，如何？这里只有我们两个，我可以把你撕成碎片，就像撕碎一个稻草玩具。"

声音没变，说话的气氛却骤然改变。但那矮教士一动也没动，仍旧把那张傻乎乎的圆脸朝着群星。也许他没听懂，也许听懂了吓得发呆。

"对，"高个教士依旧低着头，用低沉的声音说，"对的，我正是弗兰比。"

停了一会，他又说：

"怎么样，把十字架给我吗？"

"不。"矮教士说。世界响起了奇异的回音。

弗兰比忽然撕下教士的伪装。这江洋大盗靠在椅子上，低声冷笑起来。

"不？你不给我？你这个傻瓜。要我告诉你为什么不给我吗？它已经在我的口袋里了。"

矮教士满脸惊异，疑惑地问：

"你——你敢肯定？"

弗兰比开怀大笑。

"真的，你真逗，你这个傻瓜，我当然敢肯定。我能仿制包裹，朋友，你拿的是假货，真货在我这儿。一种老把戏，布朗神父，一种很古老的把戏。"

"是的，"布朗神父用手捋了捋头发，依旧迷惑不解的样子，"是的，我以前听说过。"

那江洋大盗把身体俯向矮教士，颇感兴趣地问：

"你听说过？听谁说过？"

"我不会告诉你他的名字，当然不会，"矮教士说，"那是个作过许多恶、后来回归教堂的人，他靠伪制棕色包裹发了横财，过了20年奢侈生活。瞧，我开始怀疑你时，就立刻想到了那个可怜的人。"

"开始怀疑我？"大盗重复道，"你真有感觉怀疑我，就因为我把你带到这荒凉地方来？"

"不，不，"布朗神父的语音里含着歉意，"你瞧，我们第一次见面时我就怀疑上你了，那是因为你大衣胳膊处的形状，你们那种人时常在那地方搁着凶器。"

"怎么，"弗兰比叫起来，"你听说过这种武器？"

"哦，分内的事。我在哈特浦传教时，见过三个人有这种东西。所以，我一见到你就怀疑上了，总想把十字架藏好些。我生怕你会以为我在提防你，看见你掉换包裹也没吱声。后来我又悄悄把包裹换了回来，并且撇下了它。"

"撇下了它？"弗兰比的声音有点儿变调。

"嗯，是这样的，"教士依然简简单单地说，"我回到糖果店，询问我是否忘了个包在那儿，后来留下一个地址让他们把包寄去。当然，我知道我没丢，只是回去时把包放在那儿。这样那包就不再老粘着我，直接飞到了威斯特敏斯特我的一个朋友家。"他又加上一句，"我知道这种事，是从哈特浦的一个可怜家伙那儿知道的，他经常在火车上干这类勾当，不过现在他可是个好人了。不得不懂点儿，你瞧，"他抱歉地笑了笑，"我们身为教士，总有许多人来向我们吐露心事。"

弗兰比从口袋内取出棕色包裹，猛地撕开。里面只有碎纸和铅条。他把它掷得老远，嚷道：

"我不信，我不信你这种蠢家伙有这等本事。我知道你还带着那十字架，如果你不交出来——你为什么不交出——我要动武啦！"

"不，"布朗神父也站了起来，"你不必动武，首先，我确实没带在身边，其次，这儿不仅仅只有你我两人。"

弗兰比一愣。

　　"那棵树后，"布朗神父说，"有两位强壮的警察和一名精干的侦探。他们怎么会来呢，你也许会问。是我带来的，当然是我。哦，上帝，要弄清楚这件事得说起20件事。我当然不能肯定您是窃贼，这样指控我的同行不大公平。于是我想考验考验你。一个人如果发现咖啡里搁了盐，一般会抱怨起来；如果他不抱怨，那就说明他不想被人注意。我调换了盐和糖，你没抱怨。一个人如果发现他的账单多了三倍的钱，一般会大发牢骚；如果他照付了，那就说明他不愿被人注意。我涂改了你的账单，你没发牢骚。"布朗神父继续说，"你不想给警方留下痕迹，那么别人就不得不这样做了。每到一个地方，我都做了点事情，好让我们有话题可谈。我没造成什么损失——不过把墙弄脏了一点儿，翻倒了几只苹果，打烂了一面橱窗，但是保住了稀世珍宝蓝十字架，还算值得。那十字架有保障了，它现在已经到了威斯特敏斯特。"

　　"你怎么懂得那么多？"弗兰比绝望地叫道。

　　一丝微笑掠过布朗神父圆圆的脸。

　　"噢，这是因为我是教士，我想，"他若有所思地说，"你难道没想过，一个人整天什么事也不干，只是倾听别人的犯罪忏悔，他对人类的邪恶还不会多少了解一点儿吗？"

　　布朗神父弯身收拾自己的东西，这时三个警探从黑暗中走了出来。弗兰比毕竟见多识广，他退后一步，朝沃伦汀鞠了一躬。

　　"别向我鞠躬，朋友，"沃伦汀说，"向神父鞠躬吧。"

　　两个人都摘下了帽子，这时伊塞克斯的矮教士正在寻找他的伞。

恐 怖 岛

［英］W·萨姆伯洛特

　　基尔·艾略特抓住高墙光滑的石块，任爱琴海灼热的阳光烧烤颈项，透过一条裂缝朝里面窥望。

　　这座小岛点缀在爱琴海的中央，仿佛巨大蓝盾上的一粒水晶石。他来到这座岛上，希望会发生一些什么事情，就像高墙后面所发生的那样。

　　高墙后面的花园里，有一座淙淙涌动的喷泉。喷泉中央是两个赤裸的人体，一位母亲和一位孩子。

　　一位母亲和一位孩子，紧紧搂抱在一起，用紫红色、墨绿色和其他的玉石雕琢而成——虽然看上去似乎不大可能。

　　他从衣袋里掏出一支铅笔型的小东西打开。是一支微型望远镜。他气喘吁吁地再次透过缝隙朝里面窥视。天呐，那女人看得清楚极啦！脑袋微微倾斜，眼睛睁得老大，一副万分惊奇的模样，她看见什么啦？她一只手搁在光滑的大腿上，另一只手没去遮挡丰腴的乳房，而是搂住了孩子。

　　他用职业的眼光审视着这尊雕像，大脑飞速运转，想确认出它的作者，但是未能成功。根本辨认不出年代，可能完成于昨天，也可能完成于几千年以前。不过有一点倒是可以肯定——任何一部花名册上都不会载有它的名字。

　　基尔发现这座小岛纯属偶然。他乘坐一艘古老的希腊凯伊克①在爱

①　凯伊克，地中海东部沿岸国家的一种轻便帆船。

琴海上巡游，漫无目标地从一座小岛驶向另一座小岛。从雷斯波斯到齐奥斯，再到萨莫斯，横穿这片充满传说的大海和塞克勒迪斯群岛，踏上了神曾经像人一样在上面行走的古老的土地。这些埋藏着大量珍宝的岛屿呈现在基尔眼前。如果碰上什么东西能使他高兴的话，他肯定会掏钱买下来。可是很少有什么东西能让基尔高兴。很少。

凯伊克的引擎在一场不大的风暴中熄火了，只得听凭风浪将他们吹向西南方向。等到风暴停止，引擎又半死不活地重新发动起来，一路喘着粗气向前开去。没有收音机，但是船长毫不在意。有谁会在爱琴海迷路呢？

他们像一只小小的甲壳虫在蓝澄澄的大海上漂啊，漂啊，等到后来，基尔终于在前方看见了一个灰蒙蒙的影子，那是一座小岛。望远镜中那一团黑影越来越近，他倒抽了一口冷气。首先映人眼帘的是一堵将小岛团团围住的不可思议的高墙，一片巨大的马蹄形砖石建筑从海中升起，弯弯曲曲地环抱了几块土地，重又沉入海中，沉入处海水翻卷，白浪滔天。

他提请船长注意。"那里有座小岛。"

船长笑笑，斜眼看了看基尔手指的方向。

"岛上有墙。"基尔又说。

船长脸上的笑容顿时消失了。他掉过头，不去看那座小岛。

"那不算什么，"船长冷冷地说，"上面只有几个牧羊人。它连名字都没有。"

"有墙，"基尔温和地说，"这儿"——他把望远镜递给船长——"你瞧。"

"不。"船长的脑袋纹丝不动，两眼依然直视前方。"不过是一座古迹。那里没有停靠处，已经有好多年没人去过那里了。你不会喜欢那儿的。没电。"

"我想看看墙，还有墙背后有些什么。"

船长瞟他一眼。基尔一惊。那眼神流露出担忧。"墙背后什么也没有。那是个破旧的地方，什么也没留下。"

"我想看看墙。"基尔平静地说。

他们最终还是屈服于他。小凯伊克翘着灰色的大鼻子全速在海中行驶，发出突突的响声。他们超过一艘小艇，距小岛愈来愈近。他注意到了岛上那条异常清静的小街，冷清的旅舍和几条悬着三角帆的平底渔船，山脚下有一群游动的山羊。

他差一点儿就相信了船长的话：那是一座破败而被人遗忘的小岛，远离遍及世界的现代文明——说差一点儿，是因为他想起了那段墙。筑墙是为了对付或者隐藏什么。他就想知道那个什么。

他在那家简陋的小旅舍安下身后，便马上去看那段墙。他从小山丘上往下看，再次为它所环绕的面积感到惊讶。

他沿城墙转了一圈，想在光滑而无法攀援的墙垣上找到个门或缺口，但未能如愿。被围住的部分像半岛一样突入海中，犬牙交错的礁岩抵御着海浪永无停歇的冲击。

在顺着高墙返回的途中，他很奇怪地听见附近有轻微的水滴声。他小心翼翼地往墙壁上搜寻，发现了一个很小的孔，像一枚胡桃那么大，就在头顶上方。

就是透过这个孔，他看见了那个女人和那个孩子。那么美丽，他简直目不转睛。他终于明白，他苦心搜寻的完美的象征就在这里。

所有的花名册怎么居然都漏掉了这件杰作？这种事情本来是很难不走漏风声的，可是居然没有任何消息或谣言从这个小岛传出。在这个针尖般大的小岛上，如此伟大的作品还未被命名；在这面巨大的高墙后面，藏匿着一件天才的杰作；这位神奇的母亲和她的孩子如此动人却不为人知。

他睁眼凝视，舌燥喉干，心儿像鉴赏家发现了久被埋没的真品一样怦怦乱跳。他必须拥有它，他必将拥有它。它尚未载入史册，它的真正的价值或许还不被人知。也许它的拥有者是将它继承得来的，于是它就被扔在了那儿，任风吹雨淋，没人注意，没人欣赏。

他恋恋不舍地离开墙上的那个小孔，漫步走回村里，踩着厚厚的远古的尘土。

希腊。西方文化的摇篮。

他再次去想身后那个母亲和孩子精美的形象。这组雕像的作者完全可以跻身于奥林匹斯诸神的行列。可他是谁呢？

回到村子里，他在小旅舍门前蹭了蹭鞋，想蹭掉鞋子上的灰土，同时为这里的居民如此麻木感到奇怪。

"我来行吗？"

一个小男孩两眼闪着光，忽然从小旅舍中蹿出来，一手攥着块擦布，另一只手拿着自制的黑色鞋油，马上就开始去擦基尔的鞋。

基尔在一条长凳上坐下来，审视那个小男孩。他约摸15岁的样子，瘦而不弱，个头就那个年纪的孩子来说稍微小了些。如果早出生若干年，他也许会成为蒲拉克西蒂利①的模特儿：造型完美的头颅，短短的鬈发，眉毛上的两绺刘海儿，像潘神②的角，好一副古希腊英俊少年的形象。可是，不行，男孩的鼻子上有一道轻微的疤痕，从鼻梁延伸到嘴角，甚至让人觉得延伸到了洁白的牙齿。

不，蒲拉克西蒂利可不会用他做模特儿——除非雕塑家的脑袋里产生了一个略有缺陷的潘神。

"谁是村子后面那一大块地产的主人？"他用漂亮的希腊语问道。小男孩迅速抬头，好像拉上了百叶窗似的，眼神顿时黯淡下来。他摇摇头。

"你肯定知道，"基尔继续追问，"那片地产占据了整座岛的南端，还有一堵那么高的墙，一直伸进大海里。"

小男孩仍旧顽固地摇摇头。"它一直就在那里。"

基尔笑了。"一直可是很长的时间，"他说，"可能你爸爸知道吧？"

"我没爸爸。"小男孩一副自尊的模样。

"对不起。"基尔看着小男孩熟练的动作。"你真不知道住在那儿那户人家的姓名？"

①　蒲拉克西蒂利，公元前第四世纪的希腊雕塑家。
②　潘神，希腊神话中半人半羊的畜牧神。

小男孩咕哝了一个什么字。

"戈登?"基尔俯身向前。"你是说戈登家族?是一户英国人家拥有那块地产?"

他感到希望化成了灰烬。如果主人是一家英国人,获得那组精美的石头雕像的机会简直就不再存在。

"他们不是英国人。"小男孩说。

"我非常想跟他们见见面。"

"不可能。"

"我知道从岛上是不可能。"基尔说,"可是我猜想,在靠海的那一边,他们肯定有码头或者其他登陆的设施。"

小男孩双眼低垂,仍旧摇头。有几个村民围了上来,一声不响地倾听他们的对话。基尔了解希腊人,这是一个爱凑热闹的快活的民族,有时候异常好奇,而且喜欢给人出主意。这些人全都站着,也不笑,只是睁着眼睛看。

小男孩擦完鞋,基尔扔给他一枚50雷普塔①的硬币。男孩捡起来笑了,一件有瘢痕的头像艺术品。

"那堵墙,"基尔对一位戴眼镜的老头说,"我很想见见那片地产的主人。"

老头嘟哝了一句什么,转身走开了。

基尔为自己犯下的心理学错误懊恼不已。在希腊,钱会说话。"谁愿用船把我送到靠海的那一边,"他高声说,"我给他50—100德拉克玛②。"

他明白,对于一个在这座乱石嶙峋的荒岛上放牧山羊的穷苦人来说,这可是一大笔钱。他们大多数人辛劳一年也未必能挣到这么多。一大笔钱——然而他们只是相互望望便走开了,连头也没回。所有的人都是这样。

他在村子里到处都碰上了这种神秘的拒绝,弄清他们的内心就像翻越那堵谜一般的高墙一样困难。他们甚至不愿提到那堵墙,谁建的或何

① 雷普塔,希腊货币名。
② 德拉克玛,希腊货币名。100雷普塔相当于1德拉克玛。

WORLD-FAMOUS SUSPENSEFUL *STORIES*

时所建。对于他们它似乎并不存在。

　　黄昏时他返回小旅舍，发现朵尔玛达基斯——用碎肉、米饭、鸡蛋和香料调制而成——出乎意外的好吃；喝雷斯那，一种村民自制的烈性葡萄酒；想高墙后面那位被暮色笼罩的可爱的母亲和她的孩子。一阵巨大的悲哀和对那组雕像的渴望漫上他的心头。

　　真他妈不走运！他曾经遇到过一些当地的禁忌，那些禁忌多半是家族世仇的结果。可以回溯到先人。它们被村民们严加遵守，不敢有丝毫触犯。真不明白这一切对他们短暂的一生有什么意义。不过这完全是另外一回事。

　　他站在村外的黑暗中，正郁郁不快地眺望大海，忽然听见一阵轻微的脚步声。

　　他连忙掉头，却见一个小男孩渐渐走近。就是那个擦鞋的小男孩，眼睛里闪烁着星火，尽管夜色温柔，他却微微发抖。

　　小男孩抓住他的胳膊。"其他的人——今天晚上，我用船送你去。"他悄悄地说。

　　基尔笑了，大大地松了一口气。他怎么就没想到这个孩子呢。一个小伙子，无依无靠，孤身一人，拿着100德拉克玛自然大有用场，才不会去管他妈的什么禁忌呢。

　　"谢谢，"他温和地说，"什么时候出发？"

　　"落潮以前——日出前一小时，"孩子说道，"我，"他的牙齿在打战，"我只送你过去，我自己只到墙外面的岩石那儿。你要在那儿待着，等落潮后就走——就走——"他好像被什么东西哽住了似的，差点喘不过气来。

　　"你怕什么？"基尔问，"由我来承担非法进入的责任，虽然我并不认为——"

　　小男孩抓紧他的胳膊。"其他的人——今天晚上，你回去后千万不要告诉其他的人，我带你去那里。"

　　"你不愿意我说我就不说。"

　　"请千万别说！"他气喘吁吁地请求，"如果他们知道了，他们不会

喜欢——我就会——"

"我懂了，"基尔说，"我不告诉别人。"

"日出前一小时，"小男孩放低声音，"我在高墙朝东入海的地方等你。"

基尔再次见到那孩子时，星光依然闪烁，但已经开始黯淡下来。小男孩像个黑色的影子坐在一起一落的一叶小舟里，扯住生长在高墙基座岩石上的海带海藻之类。他立刻意识到，小男孩要划好几个小时才能将小舟划到那边。没有风帆。

他爬了进去，于是两人离岸出发。小男孩一路无言，令人纳闷。

大海波涛汹涌，冷风袭人。高墙隐约显现，迷失在晨雾中。

"这墙是谁建的？"他问。这时他们已驶入漆黑的海面，就着落潮的浪头在一片犬牙交错的礁岩中穿行。

"古人。"小男孩说。他的牙齿略略作响，始终背朝高墙，眼望大海估计自己的划行距离。"它一直就在那里。"

一直。基尔看着正渐渐显现出来的巨大的高墙，感到它确实非常古老。非常非常古老。也许可以回溯到希腊文明的早期。那组雕像——母亲和孩子也可能如此。所有这一切居然都不曾为外界所知，这的确是个不解之谜。

等到小舟越划越近，他已能够看清楚在喧嚣的海水中崛起的高墙的末端，基尔意识到自己并非是第一个来此冒险的人，甚至算不上第一百个。这座岛遥远荒凉，连邮路也没有，但是可以肯定，在高墙耸立起来之后的许多年里，许许多多像他一样好奇的人们前来寻访过它，包括众多收藏家。尽管如此，却未曾产生过一个谣传。

小舟靠在一块巨大的黑色礁岩旁，被鸟粪染成白色的船头在熹微的日光中泛着光泽。小男孩把木桨放回船里。

"下次涨潮时我在这里等你，"小男孩像发高烧一样全身颤抖，"你现在给钱吗？"

"当然给，"基尔摸出钱夹子，"为什么不送我更过去一点？"

"不行，"男孩惊恐地说，"我不能。"

"就送到码头怎么样?"基尔一边说,一边观察礁岩和斜窄的沙滩之间的起伏的波浪。"咦,怎么没有码头!"

在两堵墙之间,除掉点缀着岩石的沙滩,其他什么也没有;陆地上是一片茂密的矮灌木丛,其中有一棵柏树显得格外高大。

"我会告诉你这是怎么回事。我划船过去,你待在这儿,"基尔说,"用不了多长时间,我就想去见见这儿的主人,谈谈——"

"不!"小男孩的声音因惊慌而变得尖厉,"如果你划船过去——"他爬起来,用力一推想让小船离开岩石,可是就在这一刹那,一个巨浪将小船托起,又猛然跌落下来,结果小船在男孩的身子下面漂移开去。他一时失去平衡,胳膊一阵乱舞,头触礁岩摔了下去,像一块石头一样慢慢沉入水中。

基尔连忙扑过去,紧随小男孩跃入水里,身体碰上了水下的海藻。他一把揪住男孩的衬衫,可是衬衫像纸一样被扯了个稀烂。他又伸手去抓,这次抓到了他的头发,把他掀出水面。他轻轻松松地托住男孩,一边泅水一边寻找小船。小船因为他适才那有力的一跳漂得老远,可能漂到了哪块礁岩的背后去了。现在可没时间再去找它。

他推着男孩朝沙滩游过去。这里距光滑洁白的沙滩只有一百码左右的距离,沙滩夹在两堵墙之间,两堵墙则倾斜着没入咆哮的海水中。他从水中探出身子时,男孩微微咳嗽起来,咸水呛进了他的鼻子。

基尔乘着涌潮把男孩推到了沙滩上。男孩睁开双眼,困惑地望着他。

"你会没事的,"基尔说道,"趁着小船还未漂远,我去把它弄回来。"

他走回到海滩边上,蹬掉鞋子,朝小船一沉一浮的方向游过去。他迎着大海和冉冉升起的旭日,把小船划了回来。风减弱成了耳畔的低语。

他靠岸,捡起鞋子。小男孩倚着一块岩石,用一种十分紧张的姿势扭头朝林中窥视。

"好点了吗?"基尔笑着打招呼。他忽然想到,这个小小的不幸倒似乎成了一个蛮好的藉口，可以因此登上这块被某户显然极为看重自己隐私的人家所拥有的土地。

小男孩一动不动，还是保持那种姿势监视着低矮的灌木丛。灌木丛后面巨大的高墙赫然耸立，古老而宁静。

基尔摸摸男孩光裸的肩膀。他缩回手，攥紧了拳头。他注视着沙滩。沙滩上留下了男孩爬起来时的痕迹，留下了他跑到这块岩石后面躲藏时的逶迤的脚印。小男孩依然站着，扭头注视着树林，双唇微微启开，脸上浮现出一副略感惊异的模样。

那边，一行优雅的脚印从低矮的树林一直延伸到这块岩石前，然后又延伸到了岩石的后面。脚印纤巧而秀美，足弓较高，仿佛一位女子光着脚，轻轻踩着沙粒，忽然间走了过来。望着这行奇怪的脚印，基尔猛然悟到，自己在头一次透过墙上那个小孔窥视里面那位妇女和她的孩子的无法想象的完美形象时，就应该明白那是怎么一回事。

基尔熟知古希腊的所有传说。看着沙面上的这行纤纤足印，一个最为可怕的传说蓦然浮上他的脑海：戈根姐妹①！

戈根姐妹共有三个，美杜莎、欧尔雅勒和斯特诺，头上长发的地方缠绕着蠕动的细蛇。据说三个尤物都可怕至极，任何人只要胆敢看她们一眼，就会立刻化作石块。

基尔站在温暖的沙滩上，海鸥在头顶鸣叫，爱琴海的海水在脚下喧嚣。现在他终于明白了，是谁建造了这堵墙，为什么她们建造的这堵墙一直通向翻腾的大海——还有这堵墙究竟意味着什么。

不是一个名叫戈登的英国家族。而是一个要古老得多的家族，叫做——戈根。珀修斯②杀死了美杜莎，可是她的两个躲藏起来的姐妹，欧尔雅勒和斯特诺，还依然活着。

依然活着。哦，上帝！这不可能！这只是神话！然而——

---

① 戈根姐妹是希腊神话中的三个蛇发女妖，海神福耳库斯的女儿。传说她们以蛇为发，目光所及之物皆化作石头。

② 珀修斯，希腊神话中宙斯与达那厄所生之子。在雅典娜的指点下，用锃亮的盾牌作镜子反观蛇发女妖美杜莎，然后砍下了她的头颅，成为英雄。

他那鉴赏家的双眼尽管已被恐惧的汗水所模糊，仍然注意到了那个倚着岩石的小塑像，脑袋微微偏转，在扭头朝树丛注视时，脸上呈现出惊讶的表情。两绺刘海儿像两只角挂在眉头上方，头颅造型完满，好像一个古希腊英俊的少年。海水点缀在光洁的肩膀上，仍旧不紧不慢地从缠绕石腰的那件撕破的衬衫上往下滴淌。

石制的潘神。然而是有缺陷的潘神。一道疤痕从鼻梁延伸到嘴角。一道大理石的斑痕微微掀起大理石的嘴唇，隐约显露出大理石的牙齿。一件略有瑕疵的杰作。

他听见身后响起沙沙声，好像是绳索的声音，同时闻到一种无法用言辞形容的香味，那种声音分明是只有蛇才能发出的嘶嘶声——尽管他知道不应该，但他还是缓缓回过了头，向后望去。

女 房 东

[英] 罗尔德·达尔

比利·威弗乘午后的慢车从伦敦出外旅游，在斯温顿换了车，到达巴思时已是晚上九点来钟，可以看见车站出口对面的房屋笼罩在一片月色之中。天气异常冷，寒风像冰铲一样直刺脸孔。

"对不起，"他说，"请问附近有便宜点的旅店吗?"

"到'铃和龙'那边看看吧，"门卫指着马路的尽头说，"那边也许有。往前走四分之一英里，马路对面就是。"

比利谢了门卫，拎着箱子开始朝"铃和龙旅店"的方向走那四分之一英里的路。他以前从未来过巴思，谁也不认识。不过伦敦总公司的格林斯雷德先生对他说，这是一座挺不错的城市。"找地方住下后，"他说，"就向分管经理报告。"

比利17岁，身披一件崭新的海军蓝大衣，头上戴的棕色软毡帽和里面穿的棕色衣裤也都是新的，他自我感觉很好。他步履轻松地顺马路往前走。这些日子里他做什么事都很轻松。他认为轻松是所有成功的生意人的特点之一。总公司里的那些大老板时时都谈笑风生，轻松愉快。

他行走的这条宽阔的马路上没有店铺，两边只有一排排高大的房屋，全都一个模样，门廊、圆柱、四到五级通向前门的台阶，显然这里一度住过非常富有的人家。不过现在即便在黑暗中，他也能看清门窗木框上剥落的油漆，漂亮的白色大门也已裂开缝隙，污渍斑驳。

忽然，比利在一扇显然是被六码外的路灯照亮的橱窗里，看见一块支撑着窗格玻璃的招牌，上面写着"提供住宿和早餐"。招牌下面立着一只高大漂亮的插着毛茸茸柳条的花瓶。

他止住脚步，凑近过去。橱窗两侧都挂着绿色窗帘(像是天鹅绒的质料)，在窗帘的衬托下，毛茸茸的柳条看上去十分动人。他透过橱窗玻璃朝屋里窥视，首先映入眼帘的是在壁炉里熊熊燃烧的火苗。壁炉前面的地毯上，一只漂亮的德国小狗鼻子拱着腹部蜷成一团在睡觉。昏暗中可以看出房间里布置着雅致的家具，放着一架小型钢琴、一张大沙发和几把松软的座椅。在一个角落的一只笼子里，还有一只大鹦鹉。在这种地方看见小动物，往往是好兆头，比利对自己说，总之这地方看起来会住得很舒服，肯定比"铃和龙旅店"舒服多啦。

另外住小客店也要比住寄宿处有意思，到了晚上会有啤酒喝，会有掷镖游戏玩，还会有人聊天，而且房价恐怕也会便宜不少。他曾经在一家小客店住过几个晚上，留下了挺不错的回忆。他从未在寄宿处住过，老实说吧，对那种地方有点畏惧，光是寄宿处这名字本身就让人联想到稀稀的白菜汤、贼抠的女房东和起居室里熏人的咸鱼味儿。

在寒风中瑟瑟发抖了两三分钟后，比利觉得还是先到"铃和龙"那儿看看后再作决定为好。他转身欲走。

奇怪的是他刚想离开橱窗，目光却被那块小招牌紧紧吸住。"提供住宿和早餐"，招牌上写道，"提供住宿和早餐"，"提供住宿和早餐"，"提供住宿和早餐"。每个字都像是一只黑黑的大眼睛，透过玻璃窗注视他，吸引他，诱惑他，迫使他无法离开原来的位置，无法挪步离开这栋房屋。还不仅仅如此，接下来他鬼使神差地走向前门，跨上台阶，把手伸向门铃。

他揿下门铃，听见里面很远的一间屋子里响起铃声，可是就在刹那间——肯定是在刹那间，因为他的手指都还未来得及从按钮上缩回来——门却吱呀一声打开，现出了一位女人。

通常的情况是，你揿响了铃，等那么半分钟左右门才打开，可是这女人简直就像玩偶匣里的傀偏[①]，他刚一揿铃——她就蹦了出来！把他吓了一跳。

———————————

① 一种玩具，打开匣子的盖玩偶便一跃而出。

她大约45到50岁的光景，一见到他，脸上就浮现出欢迎的笑容。

"请进来吧。"她愉快地说道，侧身把门打开。比利感到自己不由自主地走进了屋子，跟随她进去的那种本能，或者确切地说那种欲望，异常强烈。

"我看见了橱窗上的招牌。"他说，稳住自己。

"对，我知道。"

"我正在找地方住。"

"已经为你准备好了，亲爱的。"她说。

她的脸蛋红润丰腴，一双蓝眼睛柔情似水。

"我正准备去'铃和龙'，"比利对她说，"刚好看见你橱窗里的招牌。"

"亲爱的孩子，"她说，"你干吗还站在寒风里不动？"

"要多少钱？"

"五块六一夜，包早餐。"

真是便宜极啦，还不到他原来准备出的价的一半。

"如果嫌贵，"她又补上一句，"还可以再便宜些。你早餐吃鸡蛋吗？鸡蛋现在可不便宜。不吃鸡蛋可以再便宜六毛钱。"

"五块六就五块六吧，我就住这儿。"

"我知道你会的。进来吧。"

她显得格外殷勤，就好像最要好的同学的妈妈欢迎他前来过圣诞节。比利取下便帽，跨进门槛。

"就挂在那儿吧，"她说，"我来帮你脱大衣。"

客厅里没别的帽子和大衣。没有伞，也没有手杖——什么都没有。

"这房子归我们所有，"她领他上楼时回过头对他粲然一笑，"瞧，我很少有机会带客人进我这个小巢。"

这老姑娘有点神经兮兮的，比利心想。可是哪儿找得到五块六一夜这样的便宜事？"我原先以为客人会很多呢。"他彬彬有礼地说了一句。

"哦，那当然，亲爱的，那当然，只是我这人比较挑剔——不知道你是否明白我的意思。"

"噢，明白。"

"不过我总是有备无患，这间屋子里样样都已准备妥当，只等机会到来，进来一位年轻的绅士。每当我打开门，看见一位合适的人站在门口，哦，亲爱的，我是多么快乐呀。"她已走到扶梯中央，这时停下来用手扶住栏杆，回过头动了动苍白的嘴唇，面含微笑凝视着他。"比如你。"她加上一句，蓝色的眼睛缓缓地浏览比利的身躯，从头浏览到脚，又从脚浏览到头。

走到二楼时她告诉他："我住这层。"

然后两人来到三楼。"这层你住。"她说，"这是你的房间，希望你喜欢。"她领他走进一间小巧的卧室，进门时随手拧亮了电灯。

"早晨太阳会从窗子上升起，帕金斯先生。是帕金斯先生，对吗？"

"不，"他答道，"我叫威弗。"

"威弗先生，多好听啊。我用热水瓶把床单熨得暖暖的，威弗先生。在一张铺着干净床单的陌生床上抱着暖瓶睡觉多舒服啊，你说呢？如果还觉得冷，你随时都可以点上煤气取暖器。"

"谢谢，"比利说，"太谢谢了。"

他注意到床罩已被取掉，被褥整整齐齐地铺开，仿佛随时都可能有人来住。

"真高兴你能来，"她说，真诚之情溢于言表，"我都开始有点为你操心了。"

"不要紧，"比利快活地说，"不必为我操心。"他把手提箱搁在椅子上打开。

"晚饭想吃什么，亲爱的？你来之前吃过什么了吗？"

"我一点不饿，谢谢。我想马上睡觉，因为明天一大早我还要给公司写报告。"

"那么，好吧。我这就走，你慢慢收拾。不过你能不能在睡觉前来楼下起居室签个名呢？人人都得这样做，因为这是房产法规定的，事情已经到了这一步，我们可不想犯法，对不对？"她朝他做了个手势，之后走出房间掩上了门。

这时比利对女房东的异常表现已经不再有任何担忧。不管怎么说，她并没有恶意——这一点是毫无疑问的，非但如此，她显然还是个大方而富于爱心的人。他心想，她可能在战争期间失去了儿子，或者碰上了什么类似的事，心灵的创伤一直未能愈合。

因此过了几分钟，他打开皮箱并洗过手后，匆匆下楼来到起居室。女房东不在，但是壁炉里炉火正旺，那只小狗仍然缩在壁炉前，睡得正香。屋里暖暖和和的，舒服极啦。我真幸运，他想，搓了搓双手。真是事事如意。

他看见钢琴上摊开一本住宿登记簿，于是掏出笔在上面写下了自己的姓名和地址。在他的前面只有两位客人，他很自然地瞅了一眼。一位叫克里斯多夫·穆尔霍兰德，从加蒂夫来；另一位叫格里戈利·W·坦普尔，来自布里斯托。

奇怪，他忽然想。克里斯多夫·穆尔霍兰德。他好像记起了一件什么事情。

他以前在哪儿听说过这么个不同寻常的名字？

是学校里的一个同学？不是。是姐姐的不计其数的男朋友当中的一个？或者爸爸的朋友？不是。不是。绝对不是。他又看了看登记簿。

克里斯多夫·穆尔霍兰德
加蒂夫市凯瑟德雷尔路231号
格里戈利·W·坦普尔
布里斯托市塞克莫大道27号

结果他发现，第二个名字和第一个名字一样，也仿佛与某件事情有关联。

"格里戈利·坦普尔？"他一边读出声来，一边搜索记忆。"克里斯多夫·穆尔霍兰德……"

"多可爱的两个孩子呀。"他的身后响起了一个声音。他回头，看见女房东端着一只银茶盘步态优雅地走了进来。她把茶盘端得高高的，盘子仿佛成了套在一匹烈马上的笼头。

"他们的名字好熟。"他说。

"是吗？真有意思。"

"我敢肯定以前在哪里见过这些名字，你说怪不怪。可能是在报纸上。他们不是名人，对吧，我是说棒球明星、足球明星那种人？"

"名人，"她把茶盘搁到沙发前的茶几上，"哦，不，我想他们不是名人。不过他们都特别漂亮，两人都漂亮，真的。他俩都很修长，年轻而英俊，亲爱的，就像你一样。"

比利再次去看登记簿。"你看，"他注意到了日期，后面这位是两年前登记的。"

"是吗？"

"是，绝对是。克里斯多夫·穆尔霍兰德又更早一年——到现在已经三年多了。"

"天哪，"她摇摇头轻叹一声，"我都没去想过。时光过得真快啊，是不是，威尔金斯先生？"

"我叫威弗，"比利说道，"威——弗。"

"哦，当然啦！"她叫道，在沙发上坐了下来。"瞧我多傻。向你道歉。一个耳朵进一个耳朵出，我就这副德性，威弗先生。"

"你知道什么事情吗？"比利问，"关于这方面的事？"

"不，亲爱的，不知道。"

"嗯，你瞧——这两个名字，穆尔霍兰德和坦普尔，老实说分开我一个也记不住，但是合起来就好像跟一件什么事情有关。他俩好像因为同一类事情而出名，你懂我的意思吗——就好像……呃……就好像丹普西与塔尼，比方说吧，或者罗斯福与丘吉尔。"

"那多有意思呀，"她说，"过来吧，亲爱的，就坐在我身边好了，在你去睡之前我要给你尝尝好香好香的茶，还有姜汁饼干。"

"你真不用费心，"比利说，"我没叫你这样做。"他站在钢琴旁，看着她忙忙碌碌地摆开茶杯和碟子。他注意到她的手小巧白嫩，动作灵活，指甲盖涂得猩红。

"我敢肯定是在报纸上看到的，"比利说，"我再想一想。肯定能想出来。"

没有什么比差一点就能想起什么事情更让人恼火了。他不愿放弃。

"等等，"他说，"请稍微等一等。穆尔霍兰德……克里斯多夫·穆尔霍兰德……是不是那个伊顿公学①的男孩，他徒步穿过西部乡村，后来忽然间……"

"奶？"她问，"还是糖？"

"行，谢谢。后来忽然间……"

"伊顿公学的男孩？"她问，"哦，不，亲爱的，根本不可能，因为我的穆尔霍兰德先生来这儿时根本就不是什么伊顿公学的男孩。他是牛津大学的学生。过来这儿，坐到我身边来吧，烤烤火暖和暖和。过来吧。茶已经为你准备好了。"她拍了拍身边的空位置，笑吟吟地看着比利，等他过去。

他慢慢走了过去，在沙发边缘坐下。她把茶杯放到他面前的茶几上。

"这下好啦，"她说，"真舒服，是不是？"

比利开始小口啜茶。她也一样。有那么一两分钟，两人都一言未发。但是比利知道她一直在看着自己。她的身体迎向他，他可以感觉到她的目光停留在他的脸上，越过杯口注视着他。他不时闻到一丝似乎从她那儿飘过来的奇特的气味，不能说不好闻，让他联想起——嗯，他也弄不清楚联想起什么。酸胡桃？新制皮革？或是医院的走廊？

"穆尔霍兰德先生喝起茶来可厉害啦，"她终于开口说，"我这一辈子都未见过像可爱的穆尔霍兰德先生那样能喝茶的人。"

"我想他最近才离开吧。"比利说。他仍旧对这两个名字感到纳闷。他现在已经可以肯定在报纸上见过这两个名字，而且是在标题上。

"离开？"她感到有点惊讶，"可是我亲爱的孩子，他从来就没离开

① 伊顿公学，1440年创办于伦敦以西的伊顿市。入学者多为贵族子弟，毕业生多升入牛津或剑桥等名牌大学。

呀。他还在这儿。坦普尔先生也在这儿。他们住在三楼，两人住在一块儿。"

比利缓缓把杯子搁到茶几上，盯住他的女房东。她朝他回报以微笑，接着伸出一只雪白的小手，轻轻拍拍他的膝头。

"你多大了，亲爱的？"她问。

"十七。"

"十七！"她惊叫，"哦，多妙的年龄，穆尔霍兰德也是十七，但是我想他要比你矮一点，肯定要矮一点，牙也没你的白。你的牙是最漂亮的，威弗先生，你知道吗？"

"不像看起来的那么好，"比利有点不好意思，"里面补过。"

"坦普尔先生要大一点，"她继续说，没有理会他，"他有二十八岁了。可是假如他不告诉我，我绝不会猜到，一辈子也猜不到。他身上一块疤也没有。"

"一块什么？"比利问。

"他的皮肤就像婴儿的一样嫩。"

一阵沉默。比利端起茶杯，又啜了一口，然后小心放回茶盘。他等着她说点什么，可她仿佛又陷入沉思。他咬了咬下唇，注视着屋子远处的角落。

"那只鹦鹉，"他打破了沉默，说，"你知道吗？在我站在街上往橱窗里张望时，确实把我骗了。我以为它是活的。"

"天哪，怎么会这样。"

"做得真是太逼真了，"他说，"一点也不像死的。谁做的？"

"我。"

"你？"

"当然。"她说，"没看见小贝塞尔吗？"她朝蜷缩在壁炉前酣睡的那只小狗点了点头。

比利抬头望去。他猛然意识到，那只小动物也像鹦鹉一样一直一动也没动过。他伸出手轻轻摸了摸它的背。背部又硬又冷。等他用手指把毛翻至一侧，他看见毛下的皮肤呈浅黑色，非常干燥，保存得很好。

"我的老天，"他叫道，"简直太绝了。"他转过身，用钦佩的眼光看着身边的这位小妇人。"做成这样一定很难。"

"一点也不。"她微微一笑，说，"我的小宠物死后，都由我亲手制成标本。你再喝点茶好吗？"

"不喝了，谢谢。"比利说。茶略微有点杏仁的苦味，不过他没在意。

"你登记过了，是吗？"

"是的。"

"那就好。因为以后假如我忘了你叫什么，我就可以下来查一查。直到现在我差不多每天都还要来看看穆尔霍兰德先生和那个……那个什么先生。"

"坦普尔，"比利提醒她，"格里戈利·坦普尔。请原谅我这样问你，在最近的两三年时间里，除了他俩，就再也没有过别的什么客人吗？"

她一手端着茶杯，脑袋略略一偏，从眼角注视着他，依旧含着温存的微笑。

"没有，亲爱的，"她说，"只有你。"

斜　眼

[英] G·K·切斯特顿

　　黄昏时分，冷冷清清。伦敦凯姆顿城的一个街角，一位年约24岁的年轻人正朝一家糖果店的橱窗里张望。这人又高大又壮实，一头红发，神色很坚毅，名叫约翰·腾巴尔·安古斯。这商店让他感兴趣的不是橱窗里的糖果糕点。

　　他走进店内，穿过店堂，径直来到用作咖啡室的一间小屋，取下帽子递给负责接待的一位年轻姑娘。这姑娘穿着黑外套，一对深色眼睛显得很机敏。她挂好帽子，便开始为他填写单子。

　　他要的东西很平常。"我要，"他说，"一个半便士蛋糕和一小杯咖啡。"乘着姑娘转身时又加上一句，"还要你嫁给我。"

　　姑娘一下愣住了，然后说，"不许你开这种玩笑。"

　　红发男子抬起浅灰色的眼睛，说："真的，我不是开玩笑。"

　　姑娘没把眼光从他身上挪开，似乎在观察他，然后轻轻一笑，坐进一把椅子。

　　"你不觉得，"安古斯说，"每天来吃这种半便士的蛋糕太残酷了吗？以后还会涨成一便士。如果我们结婚，劳拉，我就放弃这种残酷的游戏。"

　　姑娘站起身，走到橱窗前，显然在沉思。过了一会儿，她掉过身子，走回来，用手撑住桌子，盯着年轻人，有点恼火地说：

　　"你不给我时间考虑。"

　　"我还不至于这么傻。"他回答道。

她瞧着他，变得严肃起来。

"在回答这个愚蠢的问题以前，"她说，"有些事我得跟你讲清楚。"

"好极了！"

"我不是害怕，也没有什么事好内疚，可是如果有些不是因为我的过错而造成的事情一直像噩梦一样在缠着我，你会怎么看？"

"如果是那样，"他说，"我就继续来吃蛋糕。"

"你还是先听听吧，"劳拉说，"首先我得告诉你，我父亲在拉德伯里开了一家叫'红鱼'的小酒吧，我曾在那儿干过。拉德伯里是英格兰东部一个懒散的小地方，半数去'红鱼'的人是偶尔路过的商贩。其余的都是些闷闷不乐的人，可惜你没见过。我是说他们没几个子儿，除了在酒吧打发日子就无事可干。甚至连穷人也极少来。不过有两个人倒是常客。他们只有一点儿积蓄，穿着难看，极为懒散。我有点同情他们，因为我相信他们悄没声儿地来这空荡荡的酒吧间喝酒解闷是因为他们长得丑。他们常遭人嘲笑。其中一人个头特别小，脑袋圆圆的，长着一绺胡髭，眼睛像鸟眼似的又小又亮。他戴着大金表链，来喝酒时总是一身绅士打扮。他很懒，但绝不傻，对一切事情都抱有好奇心，会用火柴梗儿玩把戏，还会把水果削成会跳舞的玩具。他叫艾西多·史密斯，非常逗。"

停了一会，她又接着说："另一个人则显得沉默寡言，可是远比可怜的小史密斯更让我害怕。他长得又高又瘦，头发浅灰，相貌并不难看，但是那斜着眼瞟人的眼神着实让人害怕。他看你时你根本不知道自己在哪儿，也弄不清楚他在看什么。我猜想这种斜视使得那可怜人对生活抱有敌意。史密斯玩魔术时，詹姆斯·韦尔金(就是那斜眼人)不是在酒店独饮，就是四处溜达。虽然史密斯掩饰得很好，但我看得出来他对自己个头如此矮小有些自卑。让我感到惊讶难过的是，他们在同一星期向我求婚。"

劳拉低下头，继续说：

"我做了有生以来最傻的一件事。他们多少算是我的朋友，我生怕他们会误以为我拒绝他们是因为他们长得丑。于是我傻乎乎地对他们说我不想嫁给一个不好好挣钱的人。我说我不可能靠他们的那点积蓄过日子。两天后，麻烦开始了。我听说他们两个都出外挣钱去了。自那以后，我再也没见到他们当中的谁。我收到过叫史密斯的那个小个子寄来的两封信，让人很感动。"

"另外那人没音讯?"安古斯问。

"没有，他从不写信。"姑娘说，显得有些犹豫。

"史密斯的头一封信只是简单地说他和韦尔金一道启程去伦敦了。韦尔金走得很快，小个子跟不上，就在路边歇脚，偶然碰上一支巡回杂耍队。部分是因为他长得特别小，部分是因为他那些魔术玩得挺漂亮，他被杂耍队收留了下来，那是第一封信。第二封信更让人吃惊，我上星期刚收到。"

年轻人喝完咖啡，用温柔耐心的眼光注视着她。她继续说下去，唇边露出一丝微笑:"我想你一定见过那块'史密斯无声服务'的广告，如果你没见到那你就是惟一没见到的人。我对此也不是很明白，只知道是一种由时间控制机械来操持家务的发明。'撤下按钮——男仆从来不喝酒';'摆动摇杆——10名女仆不吃饭'。你一定见过那广告。总之，那套机器赚了老大一笔钱，为我在拉德伯里认识的那小个子赚了老大一笔钱。我真为那小个子的成功感到高兴，但同时每分钟都害怕他会前来告诉我他已经实现了诺言——他确实已经实现了诺言。"

"另外那个人呢?"安古斯问。

劳拉·霍普一下把头低了下去。"我从没见到那人的一行字，一点也不清楚他在哪儿，现在怎样。但是我很怕他。他似乎无处不在。他让我发疯。真的，我想他已经让我发疯。他不在眼前，但我似乎又感觉到他。他没有说话，但我似乎又听见了他的声音。"

"很好，亲爱的。"年轻人快活地说，"假如他是魔鬼，他现在已经不可怕了，因为你已经说了出来。缄默的人才会发疯。不过你是什么时候幻觉到那斜眼朋友在说话的呢?"

"我听见韦尔金呵呵笑就像听见你说话一样清楚。"姑娘肯定地说，"外边没人，我就站在商店门口，一眼就能看到街上。我记不清楚他是

怎样笑的，他笑起来就跟他的斜眼一样奇怪。我已经有一年没想到过他了。这是在收到史密斯的第一封信后不久。"

"那人说过什么吗？"安古斯饶有兴趣地问。

劳拉颤抖起来。"说过。就在我读完史密斯的第二封信时，我听见韦尔金说：'他不会得到你。'清楚极了，好像他就在屋内。真可怕，我想我一定疯啦。"

"如果真疯了，"年轻人说，"你就会认为你没疯。不过看来这隐身人确实有点儿不同寻常。假如你容许我设身处地……"

就在这时，马路上传来一阵轰鸣声，一辆小车飞也似地驶过来，"嘎"的一声停在商店门口，几乎就在一瞬间，一位头戴高顶帽的小个男人走进了外屋。

安古斯一直装作对姑娘的叙述极感兴趣，以掩饰内心的不安，这时再也忍不住了，起身快步走到外屋，面对面地盯着陌生来客。任何人一眼都能看出他正深堕情网。来人个头矮小，穿戴整齐，眼睛熠熠闪亮，无疑正是姑娘对他描述过的那个人：艾西多·史密斯——因为发明机械仆人而发了大财的人，两个男人相互打量着，很快就明白了对方对姑娘的感情。

尽管如此，史密斯先生仿佛若无其事似地大声问道："雷普小姐看过窗子上的那东西了吗？"

"窗子上？"安古斯十分惊讶。

"没功夫解释了，"有钱人简短地说，"过来瞧瞧吧。"

他用锃亮的手杖朝玻璃橱窗一指。安古斯发现橱窗上贴着一张纸条。这纸条在他早先透过玻璃橱窗朝里面瞅时并没有。安古斯随史密斯跨出店门，奔到马路上，看见一张约一码半长的纸条被小心地粘在玻璃窗上，上面歪歪扭扭地写着几个字："你嫁给史密斯，他就会死。"

"劳拉，"安古斯把脑袋探进商店，"你没疯。"

"是韦尔金那家伙写的，"史密斯说，"我已好多年没见着他，可他老是让我伤脑筋。上两个星期他给我的住处留下了五封恐吓信，我一直没弄清楚是谁留下的。守门的说没见到什么形迹可疑的人。现在他又把

WORLD-FAMOUS SUSPENSEFUL *STORIES*

纸条贴到了商店的橱窗上，趁店内的人在……"

"是的，"安古斯彬彬有礼地说，"趁店内的人在喝咖啡。先生，我对你在这件事情上的做法如此得体表示敬意。其他事我们可以以后再谈。那人不会走远，10至15分钟前我进来时橱窗上还没有招贴。不过我们都不清楚他的去向，无法追踪。如果你愿意听从我的劝告，史密斯先生，你最好立即将此事委托给侦探，最好是私家侦探。我认识一名极精干的侦探，他的办事处距这儿不到5分钟车程，叫弗兰比，年轻时有过一段放荡生涯，不过现在可是个极严谨的人，大脑聪慧至极。住在汉姆普斯泰区拉克诺公寓。"

"怪事，"小个子眨了眨眼睛，"我就住在旁边的喜玛拉雅公寓。也许你愿意跟我走一趟，我回家把韦尔金的那些信整理出来，你去把你的侦探朋友请来。"

"好主意，"安古斯礼貌地说，"越快越好。"

两个男人都对姑娘道了别，然后跨进小车。史密斯驾车拐过街角时，安古斯果然看见"史密斯无声服务"的一幅巨大广告牌，上面画了一个人样机器，只是没脑袋。机器托了一只餐盘，下面写着几个字："从不生气的厨师"。

"我住的地方就用这玩意儿，"小个子笑着说，"半是为了做广告，半是图省事。说真的，我这些大家伙送煤端酒比任何佣人都要利索得多，当然，你得摁准按钮。不过这玩意儿也不是十全十美。"

"是吗，什么事做不了？"

"嗯，"史密斯答道，"没法子告诉我谁送的那些恐吓信。"

汽车跟主人一样小巧，一样敏捷，同那些机器佣人一样都是他的发明。车子很快便转入通向喜玛拉雅公寓的马路。公寓对面是一座花园，里面有一道喷泉和一条溪流。汽车从一个叫卖热花生的小贩前掠过。安古斯瞥见远处有一名穿蓝制服的警察在缓缓踱步。这是这条寂静的马路上惟一可见的两个人影。

小车快速驶抵住宅，主人一跃而出。他立即询问门房和另一个没穿外套的仆人：自他出门后是否有人来过办公室。然后领着颇感纳闷的安

古斯登上楼梯，直达顶层。

"稍等片刻，"史密斯说，"我让你看看韦尔金的那些信，然后你去把你的朋友叫来。"说着他揿了隐藏在墙壁上的一个钮，门自动开启。

这门通向一间宽敞的屋子，里面令人惊讶地竖着两排半人样的机器，像是服装店里的模特儿，都没有脑袋，胸和臂特别明显。胳膊是两只大弯钩，用来托住盘子。机器分别被漆成绿色、红色和黑色等，以便主人辨认。除此之外，它们看上去简直就是机械装置，并不引人注目，至少此时如此。两排机器中间置着一样更让人吃惊的东西。那是一张有红色笔迹的纸条。门刚一打开，小个子就迫不及待地一把抓起了它，然后一言不发地递给安古斯。红墨水还未干透："你今天去看她，我就宰了你。"

一阵沉默后，史密斯平静地问："喝点什么吗？你想喝点什么。"

"不，谢谢了，我得去见弗兰比。"安古斯苦涩地说。

"好，请他尽快来一趟。"

安古斯回身关门时，从背后瞥见史密斯按了一个按钮，一只机器人托着一盘饮料在地板上移动。

距史密斯的楼房六级台阶的地方，那名没穿外套的佣人在拨弄一个桶。安古斯停下脚步，给他一块钱，要他一直守在这儿，等候自己把侦探叫来，并注意任何接近公寓的陌生人。出了公寓他又同样嘱咐了门房。安古斯已了解到公寓没有后门。他还不放心，又叫来那名警察，说服他站在大门对面，监视来往的人。最后，他买了几便士热花生，并问那小贩打算待多久。

花生摊主翻竖起外衣领子，说他可能马上就得走，因为看来要下雪。的确，傍晚变得又灰又冷，但安古斯劝说小贩再待一阵子。

"吃点热花生暖和暖和，"安古斯急切地说，"把锅里的都吃完，钱由我付。如果等我回来，我再给你一块钱。到时候告诉我有谁，男人、女人或小孩，经过那座楼房。"

他最后望了一眼那栋楼，心想："我已经设下了重重哨卡，总不至于四个人都是韦尔金的同伙吧。"

拉克诺公寓坐落在下坡地段。弗兰比先生住在公寓底层，他认识安古斯，见面之后把安古斯引进办公室内的一间小屋里。屋内装饰着各种佩剑、东方古玩、意大利酒瓶和早期烹饪用具，角落里蹲着一只灰猫。屋内还有一位矮个子神甫，一副不修边幅的样子，显得与屋内陈设极不协调。

"这是我朋友，布朗神甫，"弗兰比说，"我一直想让你们互相认识。好天气，只是对我这样的南方人稍冷了一点。"

"是的，可能会一直放晴。"安古斯说着，坐了下来。

"不，"神甫安详地说，"已经开始下雪了。"

果然，他正说着，第一阵雪便缓缓地落在了渐暗的窗户上。

"呃，"安古斯神色庄重地说，"我是有事情才来的，可怕的事情。是这样的，弗兰比，就在你的住处附近有个人急需你帮忙。他常受一个隐身人威胁，没人见过那人。"于是安古斯详细讲述了史密斯和韦尔金的事情。他从劳拉的叙述说起，然后说到自己的所见所闻。空街上的笑声，空屋内的言语，弗兰比越听越感兴趣，把小个子神甫忘在了一旁。当故事叙述到橱窗上的纸条时，弗兰比站了起来，挥动着结实的胳膊。

"如果你不介意，"他说，"最好边走边讲。我们似乎不应该再浪费时间。"

"好极了，"安古斯也站起身，"不过他此时并无危险，我已吩咐了四个人把住那幢楼房的惟一通道。"

他们上了马路，小神甫匆匆跟在后面，一边走一边自言自语："雪落得好快呀！"

安古斯在白雪覆盖的马路上讲完了整件事情。走近史密斯住处时，他开始寻找他打过招呼的那四个人。花生小贩说他一直注意着那扇门，没看见任何人进去。警察说得更肯定。他说他见识过各种各样的罪犯，穿戴整齐的和衣衫褴褛的都有，他还不至于傻到仅仅注意形迹可疑的人。任何人他都会注意，但是他没见到任何人。三人来到门前，看门人站在里面微笑着，回答更不含糊。

"我有权询问任何到这儿来的人有何公干，"看门人说，"可是自从这位先生走后，根本没人来过。"

貌不惊人的布朗神甫看着地面，轻声问道："下雪后没人来过吗？雪是我们在弗兰比家时才开始下的。"

"没人，先生，您可以相信我。"

"那我可就不明白了。"神甫盯着地面。

其余人也朝地面看。弗兰比惊叫一声。看门人看守的通道中间有一行足印。

"天哪！"安古斯大叫，"隐身人！"

他转身就往楼上跑，弗兰比紧跟其后。但是布朗神甫没有动，他仍旧站在原地，仿佛若有所思。

弗兰比想用粗壮的肩膀撞开门，但安古斯在门框上找到了按钮。门缓缓开启。

房间里有几大块夕阳的余晖，但是显得昏暗。几架机器人移动了位置。中间原先搁过红墨水纸条的地方，溅了些红墨水似的斑痕，但不是红墨水，是血。

"谋杀！"弗兰比立刻断定，赶忙里里外外搜索了5分钟。假如他是想寻找尸首的话，那他大失所望。史密斯显然不在房间内，死活都不在。搜寻完毕，两人在屋外碰头。

"朋友，"弗兰比激动地用法语说，"不但杀人犯不见影子，连被害人也不见影子。"

安古斯环视屋内的机器人，不住颤抖。一只机器人正站在血迹上，也许死者临死前向它求救过。它的一只用作胳膊的铁钩微微抬起，安古斯恐怖地想到或许史密斯是被自己发明的铁孩子击倒在地。机器人袭击主人。可它们把他弄到哪儿去了呢？"吃掉了？"他想，这个念头让他晕眩。他想象不出那些无头的铁家伙如何能把一个活人碎尸咽下。

他竭力让自己稳定下来，对弗兰比说："这可怜的人完全失踪了，这种事简直不可理解。"

"不管怎样，"弗兰比说，"我得下去跟我的朋友谈谈。"

他们奔下楼，经过那个拨弄水桶的人——他再次肯定说没让任何陌生人进去过。门卫和花生小贩也异口同声发誓说一直监视得很仔细，但安古斯寻找第四个人时，没发现他。

于是便叫："警察哪去了？"

"对不起，"布朗神甫说，"是我的错，我刚叫他到街那头办点事。"

"得赶快叫他回来，"安古斯说，"楼上那可怜的人不但被杀了，而且不见了。"

"怎么回事？"神甫问。

"神甫，"弗兰比沉吟了一会儿说，"我想对这种事你比侦探更容易理解。没有朋友也没有敌人进过这幢楼，可是史密斯不见了，好像被鬼魂摄走了。我想这只能这样解释……"

弗兰比的话被一声惊呼打断。大个警察从街那头奔跑过来，径直跑到神甫跟前。

"您说对了，先生，"他上气不接下气地说，"史密斯先生的尸体果然在小溪里。"

安古斯一把揪住自己的头发。"难道他自己跑到那儿跳进去的吗？"

"他从没出来过，我发誓。"警察说，"也没跳。因为他的心脏部位有伤口。"

"也没任何人进来过？"弗兰比问。

"我们去看看。"神甫说。

快到拐角时，神甫忽然说："我真蠢！忘了问警察！他们找到的一定是个棕色包。"

"什么棕色包？"安古斯惊问。

"如果是其他颜色的包，事情还会发生。如果是棕色包，事情已经了结。"

"幸好没再发生什么。"安古斯说。

他们快步行走，布朗神甫默默走在前面。

"也许你们会觉得整件案子太乏味，"神甫说，"不知道你们是否注意到了这一点——他们并没有回答你的问题，他们回答的是你的意思，或者确切地说是他们认为的你的意思。设想乡间别墅一位贵妇问另一位

贵妇'有人跟你在一起吗?'那贵妇不会回答说'有啊,有5个佣人'。即使其中一个佣人正站在她身边。她会回答说'没人跟我在一起',她说的人是你指的那种人。但是假若是一位大夫在调查某种传染病,她就会记得那五个佣人。所有的语言都是如此。你无法得到精确的答复,虽然你得到的答复是真实的。当那四个诚实的人说没有谁进入过那幢楼房时,他们并不是说没有人,他们是说没有那种有可能作案的嫌疑分子。有人进去过,又出来过,但是没被察觉。"

"隐身人?"安古斯瞪大眼睛。

"思想上的隐身人。"神甫说。

沉吟一会儿之后,神甫又用低沉的声音说:"除非你想到了他,否则你想不出他是谁,这就是他的精明之处。我是从安古斯先生叙述中的一两个小细节想到他的。首先是韦尔金先生的长途远足,然后是那位姑娘说的两件事——两件事都不可能是真的。别急,"他看见安古斯不以为然地摇摇头,便说,"她当然以为是真的,但事实上不可能是真的。她接到信时街上不可能空无一人。她拆阅刚收到的信时四周也不可能空无一人。她身边肯定有人,可是她没注意。"

"为什么肯定有人?"安古斯问。

"因为,"神甫说,"得有人把信交给她。"

"你是说,"弗兰比急不可待地问,"韦尔金亲自把信交给他钟爱的女人?"

"正是。韦尔金亲自把信交给她,他得这样做。"

"哦,真要命,"弗兰比说,"那家伙是谁?长得什么样?穿得什么样?"

"他穿着红、蓝、黄三色服装,"神甫平静地说,"很显眼,大摇大摆地从八只眼睛前走进喜玛拉雅公寓,杀死了史密斯,又把尸首扛上了大街……"

"先生,"安古斯说,"是你疯啦还是我疯啦?"

"你没疯,只是不太注意观察。比如你没注意到那个人。"

神甫抢前一步,一把按住一个正匆匆从树阴下走过的邮递员。

　　"谁也不会注意到邮递员，"他若有所思地说，"好像他们是另外一类人。他们甚至可以把一个小个子男人塞进邮包里。"

　　那邮递员一惊，一下蹿到花园栅栏前。他是一个长着胡须的很普通的人，但是就在他惊恐地企图躲避时，三个人都注意到了他那可怕的斜眼。

　　众人押着凶手，踏着积雪走向警察局。

墓园小路

[俄] 列昂纳德·罗斯

　　伊万是个害羞的小个子男人——害羞到村民们都叫他"小鸽子"，甚至给他起了个外号"伊万胆小鬼"。每天晚上伊万都到乡村公墓旁的俱乐部闲逛。他从来没有从公墓中间走过去，回公墓对面自己那间孤零零的小屋。横穿公墓的小路比绕行要近好几分钟，但伊万从未走过——甚至在月色如水的夜晚也未走过。

　　一个隆冬的寒夜，凄厉的北风夹着雪片扑打着俱乐部的窗户，村民们又开始奚落伊万。他的温和的抗议使他们胃口大开，在一片哄笑声中，一位年轻的哥萨克中尉对他们的猎物骂道：

　　"你是只小鸽子，伊万，是个兔崽子，懦夫。你在这个鬼天气回家只敢绕着公墓走，不敢从公墓中间走过去。"

　　伊万嗫嚅地说："公墓——走过去也没什么，中尉，我不怕。公墓不过就是一些泥巴罢。"

　　中尉大叫："好，够意思！今天晚上你从公墓中间走过去，伊万，我就给你5个金卢布——5个金卢布！"

　　也许是因为伏特加的作用，也许是因为5个金卢布的诱惑，谁也不知道为什么，伊万舔了舔嘴唇，居然脱口说道：

　　"行，中尉，我从公墓中间走过去。"

　　在村民们的嘲笑和惊讶声中，中尉朝大伙儿使了使眼色，然后解下马刀，说：

　　"拿着，伊万，以此为证。你走到公墓中央那座最大的坟墓前面时，就把我的马刀插进地里！明儿一大早我们大伙儿都进去看，如果马刀插在那儿，5个金卢布就归你！"

伊万慢慢接过马刀。村民们一齐举起酒杯。"为伊万大英雄干杯！为伊万胆小鬼干杯！"然后哈哈哈大笑起来。

伊万刚把身后俱乐部的门关上，寒风就吼叫着将他包围，风儿像屠夫的尖刀一样刮刺着他的脸。他扣紧自己的长大衣，穿过脏兮兮的泥巴路，可以听见那个哥萨克中尉仍在他的身后高叫："5个卢布，小鸽子！5个卢布——只要你能活下来！"

伊万大步走到公墓门口，犹豫片刻后推开了大门。

他走得很快。"泥巴，不过是些泥巴……跟其他的泥巴没有两样。"可是黑暗空前吓人。

"5个金卢布……"寒风呼啸，手里的马刀像冰一样冷。伊万缩在又长又厚的大衣里不住发抖，拔腿便一瘸一拐地跑了起来。

他认出了那座大坟墓。人人都认识那个大玩艺。伊万一定哭了起来——可是哭声被风声淹没了。伊万跪下来，又冷又怕，在巨大的恐惧中将马刀刺向坚硬的地面。非常困难，他用拳头狠狠将马刀砸进泥土，一直扎到刀柄。完成啦！公墓……挑战……5个金卢布……5个金卢布！

伊万想站起来，可是不能动弹。好像有什么东西揪住了他！他挣扎着又试了一次，可是什么东西无声无响地将他紧紧拽住。伊万拼命诅咒、扭动、前后乱爬——在寒风中冒汗，在狂乱中喘息，在惊惧中发抖。可是什么东西死死揪住了他。他因恐怖大叫起来，与那看不见的力量殊死搏斗，竭尽全力想站立起来，但是一切都归于徒劳。

第二天早晨，在公墓中央那座大坟墓前面的地方，人们找到了伊万。他脸上的神情表明，他并非死于严寒，而是死于某种无名的恐惧。中尉的马刀插在地上——刚好刺穿他那件破烂长大衣的下摆。

温柔的一摸

[美] 曼·拉宾

电话铃响了三次才把他叫醒。又响了两次他才钻出漆黑的卧室，穿过走廊走进更黑的起居室，抓起话筒搁到耳旁。

"纽约长途，"接线小姐的声音，"找洛杉矶的拉里·普雷斯顿先生通话。"

"说吧，"他咕哝一句，依旧带着睡意，"往下说，我听着呢。"

沉默一阵之后听到了她的声音。她的声音慌乱不安，上气不接下气。

"亲爱的，是我，杰妮丝。我吵醒你了，是吧，实在对不起。可我有话要跟你说，我快要发疯了。"

最后一丝睡意从他的脑袋里消失，房间里的摆设也渐渐现出了轮廓。他背靠电话旁的沙发，稳稳当当坐住。

"别焦急，"他说，"告诉我怎么回事。"他已经有三天没跟她通话了。

"哦，拉里，太可怕了。他今天晚上找到了我，就在半小时前。他喝醉了，喝得醉醺醺的，动手打我。"她的声音变成了抽泣。

"他怎么会知道你住在哪里？"

"他说他给我的办公室打了电话，他们给了他新住址。你听我说，他说他绝不会跟我离婚。你真该来看看他那副模样，又哭又叫，发誓要把我揍扁。哦，亲爱的，我们怎么办？我心好乱，好害怕……"抽泣声又起，这次更厉害。

"别急。"男人说。

"真希望你就在这儿跟我在一起。我好需要你。你什么时候回来？"她的声音带着痛苦和乞求。他在黑暗中可以想象出她的脸孔此时是什么模样，一定是绝望癫狂，金发散乱。

"很快，"他说，"片子一拍完就回去。再有一个月吧。"

"太久了，让我去你那儿，搭便车，步行，乘飞机，都行，只要我们能在一起。我好需要你啊。"

"你明白这不可能，"他严厉地说，"我现在可惹不起什么丑闻。我等这机会已经等了一辈子了。"

"我明白，亲爱的。请原谅我那样说。你是个好演员，是个了不起的演员。我再也不说那样的话了。"

在确信自己已经恢复理智之后，他问："他现在在哪儿？"

"你是说艾尔？他醉倒在地板上。不知道等他醒来又会做出什么事。"

男人伸手去摸原先放在电话机旁的一包香烟。他感到喉燥舌干，很不舒服。他的手在黑暗中碰到一只空啤酒罐，差点把它碰翻。他好不容易摸到了香烟，还有火柴。那女人又哭了起来，他点燃烟，等着。

"对不起，"过了一会儿后她说，"我就是憋不住。我本来都快睡着了。你走后我每晚早早就上床，看看电视，就是这样。"

他打断她，引她回到刚才的话题上。"他是怎么来找你的？我的意思是他在外面有车吗？"

"有，那辆灰色福特就是。从我站的地方就能看到。就在房子前面。"

"有没有人看见他进来？"他问，尽量想让声音显得平静。

"现在都快4点了，谁会起床。你来的这条街，大多是工厂。你没忘吧，是不是？"

男人嘟哝说没忘。有好一阵子他没开腔。他可以听见她在等他说话，她的喘息声在三千里外也听得很清楚。

"拉里？"

"我在呐。"

"我怎么办？他打我。如果他不跟我离婚怎么办？"

"是个麻烦。"

"你干吗不说话？"

"我在想呐。"他说。他的确在想。很快就有了主意。他对自己的大脑刚刚醒来反应就这么敏捷感到惊奇。事情就这么简单，这么容易把握住要害。

"你爱我，杰妮丝？"他问。

"噢，亲爱的，宝贝儿，你怎么这样问？你知道为了你我什么都愿做。"

"那你听着，"他前倾身子，好像跟她挨得更近些。"我很担心你丈夫会成为个累赘。你说过不会有什么麻烦事，事情会很顺利。我得考虑自己的名声。我这一生都赌在上面了。"

"你想跟我说什么呢？"女人问。

"我已经厌倦了在昏暗的饭馆里见面，在偏僻的过道里偷欢。事情现在就要见分晓，免得老是那么鬼鬼祟祟的。"

"不是这样的。"她的声音里充满了哀求。

"否则他总是让你我不得安宁。"

她又抽抽搭搭起来。"拉里，我不知道该怎么办。我不喜欢你那样说话。你在吓唬我。告诉我怎么办。你说什么我都会去做。"

他一边吞云吐雾，一边耐心等待，然后缓慢而轻声地开了口。他希望接线小姐不会留意。他不得不冒这个风险。

"得小心对待他，杰妮丝。等他醒来，我们就再没机会了。"

"我不明白。"

"不，你明白的。"他启发她，"你完全明白。我和他，你只能得一个。"

他听见她倒抽一口冷气，被吓晕了。她肯定会表示异议，但他清楚她已上钩。

"拉里，你疯了。"

"我或者他，"他重复一遍，"明白我的意思。就在今晚见分晓。"

"可是这怎么行呢？你想要什么？你要我怎么办？"她的声音结结巴巴的，好像快要被淹死了。

"他躺在那儿没有知觉，对吧？你跟我说过他酒后常常要晕过去好几个小时，这样事情就会很简单。你说没人看见他进来，街上空空荡荡的，谁会知道呢？"

"可是这怎么行呢？"

他可以感觉到她声音里的那份恐惧，那份紧张。

"记得床上那只大枕头吗？就是我在大西洋城演出时买给你的那只？"

"噢，拉里，不，我不能，我不能。"她被击中了要害。

他继续往下说，好像没听见她的声音。"去拿枕头，杰妮丝。你说过他个头很小，你常说你可以像咬花生壳那样咬掉他的脑袋。蒙住他的脸，往下压，持续5分钟即可。"

"拉里，求求你。"

"他已经死了，让他死得更彻底些。"

这次哭声大作，痛苦和微弱的抗议通过三千里电话线传了过来。他很耐心。他看着头顶的天花板，上面闪过一辆车驶过时的前灯灯光。万籁俱寂，悄无声息。他端详着燃烧的烟头。

"拉里……"她央求道。

"我已经明说了，杰妮丝。你曾经无数次诅咒他死，现在是你的机会。每当我们快活的时候，他的阴影就会出现。"

"可他是一个人……是我丈夫。"

"他是个该死的家伙，就是这么个东西，永远是这么个东西，除非你现在就采取行动。"他不再说下去，用沉默来表达他的烦躁和恼火。等到再次开口时，他的口气变得强硬起来。

"我没什么可说的了，杰妮丝。"

"拉里！"她尖叫起来，"拉里，别放电话，求你了，拉里，失去你我会自杀的。"

"那就照我说的做。"

"行，行，什么都行……可是我好害怕。我需要你在身边，我需要你抱着我。"

"很快……很快。"他安慰道。

"我像个小姑娘一样发抖。他打我时把我的脸都打肿了。要是你能看到就好了。"

"去拿枕头，杰妮丝，现在就去拿。让我们一劳永逸把他解决了。"

"我拿到了，亲爱的，我爱你。说你爱我。"

"我爱你，"男人说，"想象我就在你身边。"

"嗯，在一起。"

"干吧，孩子，我等着。"

"拉里……"

"别再说了，想想他的所作所为，把事情了结了吧。我在这儿考虑下一步怎么办。"

"你再也不会离开我？"

"不会。"

"噢，天哪，我害怕……"她的声音又弱了下去。

"为了我，宝贝。为了我俩。我爱你。"

"我就去，"女人说，"等我。"

他听见她搁下话筒，然后是一阵寂静。他又点燃一支烟，朝黑暗喷出烟雾。他把手放在面前，想看看自己是不是在发抖，但屋内太黑。他将话筒紧紧贴在耳旁，里面有一阵十分微弱的乐曲声。她先前一定是开着收音机就睡着了，她经常那样。他记起了她床头桌子上那架白色的小收音机。那音乐听上去是多么清纯啊，与正在发生的事情多么不协调。他的胳膊内侧流出了汗。他不知纽约的天气怎么样。他抽烟，等待；等待，抽烟。一次他觉得自己听见了一阵喳喳的声音，还有一次好像听见了哽咽。

他不知道自己等候了多久。在这段时间里电话仿佛成了自己的延伸部分，如同胳膊和腿一样关系到他的生存。音乐减弱成了无声，似乎三千里外的所有声音都已消失，只有电流声在他耳畔嗡嗡作响。他的胸前淌下了更多的汗，心脏怦怦乱跳。5分钟，甚至是10分钟过去了。没有反应，没有反应……之后出现了她的声音，虚弱而茫然。

"拉里?"

"杰妮丝。"

"做了，拉里。他死了。我杀了他。像你要求的那样。就好像让他睡着了。他看上去那么小，那么安静。"

"你肯定?"

"嗯。我像电影里常见的那样，掏出小镜子凑近他的嘴。没有出气。他死了。"声音很冷。"跟我说话，拉里。这里好静，跟我说点什么。"

"没什么可担心的。"

"他躺在那儿一动也不动。"

"杰妮丝，听我说，你得接着干。"

"你多快能回来?"

"到时候就知道了。"

"你再也不会离开我?"

"我说过不会。"

"对不起，我就想听见你这样说——好了。你现在要我干什么?"

"到床上拿一条毯子，把他裹好。"

"然后呢?"

"确信街上没人后，将那辆车尽量靠近房子，把他拖进车内，动作要快。"

"我干不了。"

"你得干。他个头很小，没有多重，你跟我说过。"

"亲爱的，我好害怕。"

"我信得过你，杰妮丝。"

"我爱你，拉里。"

"你接着干吗?"

"嗯。告诉我结局会怎样?"

"会很好。"

"你会在一个月内回来吗?"

"会的。"

"然后我们就结婚?"

"当然。"

"你会爱我,是吗?再也不会离开我?"

"不会。"

"你将成为一个了不起的演员。每天晚上你下班回家,我都给你做好菜吃。房间会收拾得干干净净,我们喝酒,接吻,接好久好久的吻。跟我说以后会这样。"

"杰妮丝。"

"跟我说,求你了,我好想听你这样说。我杀了他。我杀了我的可怜的酒鬼丈夫。他才43岁。"

"当然,会那样,就像你说的那样。我会尽快回家去。"

"我就想听这句话。我会没事的。"

"会处理尸体吗?"

"会的。"

"把他弄进车里后,开到东河大道。一定要用毯子把他裹好。记得我们停车的那座码头吗,就是挨近16街的那座?"

"记得。你就在那儿第一次吻了我。哦,亲爱的……"

"就是那座。开到那儿,确信没人后就把尸体扔下去,然后把车开到离家几个路口的地方扔掉。戴上手套。走路回去。"

一阵沉默。

"杰妮丝,听见了吗?动作要快。"

"听见了。"女人低声说。

"这才是我的好姑娘。"

"我这是为了你,拉里。我不会为其他人这样做的。"

"我明白,孩子。我明白。"男人轻声安慰她。

"你是我的一部分。我是你的一部分。"

"对我也一样。你得赶紧行动，过一会儿天就亮了。"

"你给我打电话吗？"

"一小时内打。你应该在这段时间内把事情做完。"

"好想要你在身边。"

"我也一样，"男人说，"可是我们得现实点。"

"我时时都会想着你。"

"我也是。"

"你对我做的事情感到厌恶吗？"

"不。我爱你。"

"再说一遍。"

"我爱你。"

"这下我做什么都不怕了。"她停了一会儿又说，"过一个小时给我打电话。"

"我说过会的。"

"外边更亮了。"

"最好快点。"

"好吧……拉里？"

"嗯？"

"没什么……哦，天哪，我好害怕。"

"坚强点。坚强点。"

"再见，亲爱的。别离开我。"

"不会。"

他听见咔嗒一声电话断了。他轻轻地把话筒放回电话机上。屋内仍旧漆黑冰凉。在加利福尼亚的所有一切当中，他最喜欢的就是这儿的夜晚。他点着了盒子里的最后一支烟，用手揉瘪了空空的烟盒。过了一分钟，他重又拿起话筒，拨通了洛杉矶警署。

电话拨通后他清了清嗓子。得把话说得令人确信无疑。

"我叫拉里·普雷斯顿。"他对接电话的警官说，"是个演员，住在日落区边上的北约卡街。10分钟前我接到从纽约打来的一个长途电话，是我的一位朋友的妻子打来的。她神志不清，语无伦次，我不能断定她说的是不是真事。她发誓说已经杀死了自己的丈夫。她说她再也不能忍受他那样揍她，还说准备把他的尸体弄到车上，然后从16街的一个码头把他扔进东河里。她的声音听上去疯疯癫癫的。我想应当让纽约警署知道这件事情。"

他又描述说那辆车是辆灰色福特，并且告诉警官她提到过的行车路线。他还说他很抱歉无法提供牌照号码。警官对他的合作表示感谢，答应一从纽约警署获得消息就给他回话，然后把电话挂了。

他又一动不动地坐了一两分钟，仔细想过了整个过程的所有疑点，这样一旦被要求作证时，自己的回答就会无懈可击。他把所有的疑点都想了一遍，连最微小的细节也没放过，然后满意地吸了最后一口烟，将烟蒂摁灭在烟灰缸里。他站起来，穿过黑暗走回卧室，爬上床，将被子盖在自己身上。被窝里仍然暖融融的。他静静地躺着，眼睛盯着天花板，睡意全消。

身旁的棕发女郎动了一下，将身子换了个姿势。"谁啊？"她问。

"一个朋友。"

"你去了好久。"姑娘说，依旧迷迷糊糊的带着浓浓的睡意。

"有些事要办。"

"办好了吗？"

他的眼睛适应了屋内的光线。他看见她的长发洒在枕头上，闻到了她身上昂贵的法国香水。他抚摸她的柔发，搓起一绺绕着自己的手指。

"我想办好了。"他答道。

"我想你。"棕发女郎说。

"说下去。"他伸出手开始轻轻地抚摸她的背。她叫达丽娜，是一名女演员。好莱坞的专栏作家们正把他俩称作一对儿。

"嗳，你这一摸好舒服呀。"她说。

"是吗？"他微微一笑，继续沿着她背部的曲线温柔地摸下去，直到她快活地哼哼着再次扑进他的怀里。

笨　蛋

〔英〕C·海厄

　　从马克汉普顿县警察局叫来的警车绕着美军机场转了一圈，然后开进村子的街道。这是初春一天早晨八时半，马路上空空荡荡的，只有一队美军车队。马克夏县警察局的普雷斯警长坐在年轻司机旁边，挺快活地看着那些美国大兵。其实他对他们并没有什么好感。大体上来说，他们与本地人并没有什么很大的区别，只是做起糟糕事来另有一套，这就让喜欢循规蹈矩的普雷斯警长感到很不舒服。比方说吧，手头这事发生在霍森山庄，里面牵连到了一个美国人，这就有点麻烦。

　　所谓霍森山庄其实是栋又旧又黑的小住宅，坐落在村子的另一头。这一带有好些类似的住宅。房主把它们修葺一番，便租给过往的军人留宿，从中牟取暴利。警车到达门口时，法医的车也同时赶到。三个人一同走进住宅。普雷斯警长看到门打开时，松了一口气。门显然是被那个中年英国男子打开的，他面有病色，身着男仆衣服。

　　"请走这边，好吗？"他用谦卑的职业口吻说，把他们带向楼上那间最好的卧室。他打开门，站在一旁。

　　床上的男尸冰凉冰凉，已经死了好些时候。普雷斯判断他年约45岁，圆脸上几乎没什么特征。他穿着价钱昂贵的睡袍，显得与寒酸的卧室极不相称。床边的桌子上有一只喝剩一半的酒瓶、一只空杯子和一个空荡荡的圆形小药箱。桌子旁的地板上有一封信，信封上简单注明"威廉·哈里斯先生启"。信不是从邮局寄来的。普雷斯对年轻司机说了几句什么，便离开了屋子。他看见那男仆就站在门外的走廊上。

"到楼下谈谈，怎么样？"普雷斯警长说，"下面方便些。"

他们走下狭窄的扶梯，来到客厅。普雷斯站在空空的壁炉前，急切地看着对方。

"你到这儿不久，是吗？"普雷斯问。

"我……呃……不久，先生，才三天。我们以前在伦敦，可是……"

"别紧张，"普雷斯笑了笑，"刚才下楼时你的脑袋差点碰上横梁。这屋刚刷过，是吧，就为那些美国人？"

"不，先生，不是美国人。哈里斯是……曾是……英国人。我知道他后来到美国住了很多年，呃，染上了一些美国人的习气。"

他说得轻松了些。普雷斯的微笑常常让人感到自在。

"你的名字？"

"威尔逊，先生，托马斯·威尔逊。"

"好，威尔逊，说说你什么时候发现你主人死的。"

"是今天早上给他端茶的时候，先生。我什么也没碰，马上报告了警察局。但愿我这样做没错。"

"没错。你最后一次见到他是什么时候？"

"昨天晚上，先生，大概10点半。他放了我一个晚上的假，我回来时他正准备睡觉。"

"对哈里斯先生你能说些什么吗？"

"没什么可说的，先生。我跟他在一起才两个礼拜，他是通过奇尔登劳务公司雇到我的，你一定听说过了。不过我可以对你说，他的生活习惯有点儿——呃，有点儿古怪，先生。"

"古怪？嗯，那自然。你方才说他沾染了一些美国人的习气。"

"不，先生，我不是指那种古怪。他怕。"

"怕什么？"

"呃……怕人，先生，特别是美国人。他是因为这个原因才来这儿住的。他说伦敦的美国人太多，因此才搬到这儿来。"

普雷斯听到这个怪念头笑了起来。

"那他可选错了地方，"普雷斯说，"他不知道美国人在这村子有座基地。"

"好像他不知道，先生。我想他发现这一点时感到很震惊，因为昨天他对我说……"

普雷斯知道有些目击者一旦情绪放松，便会越扯越远，因此他决定还是言归正题。他打断威尔逊。

"这个你能提供什么线索？"他晃了晃那个信封。

"这个，先生？哦，那当然，是我昨天晚上拿给哈里斯先生的。"

"哪来的？"

"那个参谋让我交给他的。"

"我不明白，哪个参谋？"

"我刚要告诉你，先生，你把我打断了。"男仆客气地说。"那是昨天早上，哈里斯先生让我搭车到村子里买东西，车到村口时停了下来。前面在修路，只留出了一条车道。这时从对面开过来一辆美军军车，那个参谋就坐在前座上。军车驶过时，他看上去认识哈里斯先生。"

"你怎么知道？"

"他跟他说话，先生，只说了几个字，好像是……布莱梅。"

"不像美语，威尔逊，是不是……莱梅？"

"好像是，先生，那是什么意思，我可不可以问问？"

"这对英国人是个不很礼貌的称呼。说下去。"

"不管怎么样，哈里斯先生似乎很难堪。他一下便把车开了过去，没在村子里停。我们到马克汉普顿买了东西。后来昨天晚上我又看见了那个参谋。"

"在哪儿？"

"小酒吧，先生，就是'小狗酒吧'。我到那儿玩玩，里面全是美国兵，他也在。他一下就认出了我，跟我搭话。他给我要了两杯酒，接着就……呃……就问我问题，先生。"

"他问你是谁，住哪里等等？"

"正是，先生。在酒吧快关门时，他向老板要了纸和一个信封，写了几个字，叫我交给哈里斯先生。我就照办了，先生。"

"你知道信里写了什么吗？"

"当然不知道。"他的声音有点不愉快。

普雷斯笑了。

"你大概会感兴趣的，"普雷斯念了起来："喂，莱梅，真没想到。明天中午我去你那藏身处拜访你，你还是别离开的好。"

"就这些，先生？"

"就这些。还有署名——乔。"

"这是那个参谋的名字，一定是。"

"假如你见到他，能认出来吗？"

"那些美国人都长得一个模样。不过我想我能认出。"

"情况就是这样。你把信给他，他就死了。他死于——确切地说死于什么，医生？"这时法医已走进客厅。

"中毒，毫无疑问。等进一步检查后我再向你详细解释。他已经死了八到十小时，没有伤痕。我走了，需要搬走尸体吗？"

"暂时不搬，谢谢。我希望下午不要来人。我们中午还要会见一位客人。"

法医走后，普雷斯唤来年轻的司机。

"珀西？"

"在，普雷斯警长。"

"把车开到屋子背后，不要让人看见。"

珀西从楼上下来。

"房间已经仔细搜过，"司机说，"他有些很考究的美国时装。这是在抽屉里找到的，也许你会感兴趣。"

他递给普雷斯一叠从报纸上剪下来的文章，然后开车去了。

文章全是从美国报章上剪下来的，按日期一张一张叠好，新的在前面。头一张这样开头："今天上午约翰·本杰明·斯潘塞因为谋杀银行警卫爱德华·哈特被处以死刑……"他翻了翻其他报纸，发现所有文章都涉及到这个名字。"威兼·哈里斯生于英国，因为与本案有关，今天被传讯到法庭做斯潘塞的证人……"

"需要我效劳吗，先生？"威尔逊问。

"不需要，"普雷斯的注意力正集中在剪报上，"哦，需要，"他又改口说了一句，"你把信交给哈里斯后，他干了些什么？"

"他看信，先生。"

"还有呢？"

"叫我到楼下取一瓶酒和两个空酒杯上来。"

"两个酒杯？"

"哈里斯先生很古怪，"他解释说，"虽然他跟我一样是英国人，但有美国人习气。他要我跟他一块儿喝一杯。他跟我见识过的其他绅士不一样。"

普雷斯瞧了瞧他那病恹恹的脸和弯曲的手指，指头上有抽烟的痕迹。

"你挺能喝，是吧，威尔逊？"

"能喝一点，我承认。"

"是不是因此丢掉了以前的饭碗？"

"不，先生！"他激动起来，"我一直都干得很好，所有的推荐评语都是这么说的。我上次跟的是葛威斯顿勋爵，我为他效劳了5年，只是在他跟他太太分居后我才被辞退，他们把财产分了。那份差事并不理想，只是因为那时奇尔登公司没能提供别的工作，而且薪水还算可以我才去做的。奇尔登公司最了解我，先生，他们会把我推荐给最好的雇主，不信你可以去问，电话号码贝尔格拉弗8290。如果你愿意，可以马上打个电话。"

"我想你说的够多了，威尔逊。没必要这么激动。"

"对不起，先生，像我这样的人完全靠名声吃饭。我被你吓得很厉害，而且……而且到现在还未吃早餐。"

"冷静些，你说到给哈里斯拿来酒……"

"对的，先生。我拿进去时，他正坐在床边。他斟满了两个杯子，我们各喝了一杯。然后他叫我把酒瓶和一个杯子留下，跟我道了个晚安。后来直到今天早上我都没有再见到过他。"

"谢谢，威尔逊。你帮了很大的忙。去饭厅吃点东西吧。"

普雷斯看了看表。正好9点。如果乔参谋准时来的话，他还得等3个小时。还不知道会不会来。如果他不来，要找到他可不容易。他心想还不知道那座美军基地里有多少个姓乔的参谋人员呢。事情可能会更糟，信上的名字可能是布奇或者莱德，他似乎觉得有半数美国人叫那种名字。尽管如此，他还是得等。

当警察就常常得等。

不过这次普雷斯感觉良好。他有躺椅可坐，有报纸可读。剪报刊载了一宗很普通的谋杀案——一名警卫在歹徒抢劫银行时被害。像其他的杀人犯一样，凶手斯潘塞从照片上看是个极普通的小伙子。哈里斯算是幸运的了，只是作旁征，而不是与凶犯一道受审。不过当普雷斯想到此刻正躺在楼上的那个男人时，又觉得他还不算太幸运。他一遍一遍地读着剪报，直到珀西在前厅叫道：

"他来了，普雷斯警长。"

普雷斯打开门，走进一位身穿军服的年轻人。年轻人有点惊诧：

"我走错地方了吗？他们说这里是哈里斯先生的住宅。"

"他们说得对，请进。"

来客犹豫了一下，走进屋内，板着脸看着普雷斯，又看着珀西。

"你们是警察，没错吧？出了什么事？"

"昨天晚上你给哈里斯写了一封信？"

"对。"

"今天早上他被发现死在床上。"

年轻人沉思起来，面无表情。普雷斯注视着他，感到他脸孔的线条似曾相识。

"看来……"他终于说，"那倒省了不少麻烦，是吧？"

"那得要看你为什么要来找哈里斯。"

"或许我们不必立即讨论这个问题。谢谢你告诉我这个消息，我想我得走了。"

"等等。有两个问题希望你走之前予以答复。后期的哈里斯是个什

WORLD-FAMOUS SUSPENSEFUL *STORIES*

么人?"

"是个笨蛋。"乔参谋说，"另一个问题呢?"

"你叫斯潘塞，对吗?"

"对。我叫约瑟夫·韦伯·斯潘塞。"

"约翰·本杰明·斯潘塞?"

"我哥。"

"谢谢，斯潘塞。我要知道的你都告诉我了。要不要看看尸体，确认是哈里斯?"

"先生，"斯潘塞说，"在贵国逗留期间，我增加了对贵国警察的敬意。只要你说哈里斯死了，我就不会有疑问。不会，先生!不列颠警察的一句话就够了。不过我想说一句:你告诉我的这个消息会让我家乡的人同声欢呼的，一定会的。我得说再见了。"

"珀西，叫威尔逊来一下。"客人走后，普雷斯说。

珀西走进厨房，回来时满脸微笑。

"威尔逊把酒当早餐了，我叫不醒他。"

"他被吓坏了，他方才说，我并不真需要他。叫苏格兰场派人到奇尔登公司了解一下。或许他们可以提供一些哈里斯后期的情况。我们得弄清楚他到底是不是一个笨蛋。"

他拿起电话筒。

"小姐，请接个长途，我要——"

他"砰"地放下电话，大叫:"珀西，把车开过来，快，追上那个参谋，带他回来，必要时用武力!"

斯潘塞又迷惑又恼火。普雷斯说:"真抱歉，不过我想弄清楚楼上那具尸体究竟是否真是哈里斯。"

"如果你一定坚持要这样，我愿意遵命。"

就在普雷斯推开厨房门时，斯潘塞忽然大叫:

"莱梅!"他弯腰看着躺在椅子里的那个人，说:

　　"他们说你死了！"

　　"还没死，"普雷斯快活地说，"不过快了。英国的审判程序比你们的要简单些。如果你不介意，现在我们可以到楼上看看托马斯·威尔逊的尸体。这个可怜的仆人昨晚接到你的信后，被哈里斯毒死了。这是个精明的计划，而且差点就成功了，要不是他忘了他扮演的是一个英国仆人，应该说'长途'，而不是'长话'的话。就像他自己说的那样，他沾染了一些美国人的习气。我想他到这儿来是想有意让你撞见，然后制造自杀的假象，以逃脱斯潘塞亲友的追踪。哈里斯先生过于精明了。"

　　"我不是跟你说过，他是个笨蛋吗？"斯潘塞参谋说。

巴德先生了不起的念头

[英] D·L·萨耶

悬赏500镑

《晚邮报》一贯主持正义。该赏奖给提供导致威廉·斯特利克兰(又名勃尔顿)被捕线索的人士。该犯为警方通缉之曼彻斯特市艾玛·斯特利克兰被害案凶手。犯人特征：年约43岁，身高6英尺1英寸。头发浅灰，有可能染过。灰色络腮胡，有可能已剃掉。淡灰眼睛，轻微对视。大鼻子，牙齿整齐，其中镶有金牙，此特征大笑时最为明显。左手拇指指甲刚被损伤。说话声音高亢，节奏较快。有可能身穿灰色或深蓝色衣服，头戴灰色软帽。已经或正在越境。

巴德先生再次仔细读了一遍，沮丧地把报纸搁在一旁。伦敦有几百家理发店。看来威廉·斯特利克兰不大可能来他这家无名小店剃头刮胡或染发。巴德先生甚至怀疑他是否在伦敦。

尽管谋杀案到现在几乎已经过去三星期，威廉·斯特利克兰也很可能早已离境，但巴德先生仍设法把报纸上那段描写记住。只要有机会，哪怕是很小的机会，他都不会放过。他经历过许多艰难时光，恨透了那些为非作歹的人和这个社会。在这样一个女人赶时髦的年代，巴德先生竟然会赚不到钱，岂非咄咄怪事。可是事实的确如此，近来对面新开设了一间"妇女美容院"，里面有熠熠闪亮的椅子、紫色和橘黄色的窗帘，红色耀眼的招牌，还有打扮得漂漂亮亮的年轻女店员。结果如云的女郎蜂拥而去，即使等上三四天，也不愿穿过马路光顾巴德先生的寒酸小店。每天，巴德先生都眼睁睁地望着她们进进出出，巴望有一天她们也会来找他。可是她们从没来过。

尽管如此，巴德先生仍认为自己的美容手艺比别人好。有时候，他看见那些女子烫着那样难看的发型从对面店门走出来，心里不禁暗暗悲哀。他知道自己做起来要高明得多。他的染发技术特别出色，因此，一看见别人染出的难看头发，他心里就窝火。然而还是没几个人登他的店门，只有一些工人和几个偶尔路过的行人。那么为什么巴德先生不把他的理发店也装饰得光彩夺目呢？说起来倒霉得很。巴德先生有个弟弟——理查德。母亲临死时，他向母亲允诺过要照顾好弟弟。他学过染发术，有一段时间在家乡北汉普顿干得挺不错。那时弟弟在一家银行做小职员。可是好景不长，弟弟走上了邪路。理查德把自己的钱财花得精光，然后挪用公款，结果被送进了大牢。巴德先生为他还清了债，等他出狱后又给了他夫妻俩去澳大利亚的船票和足够让他们开始新生活的一大笔钱。这就耗尽了巴德先生的所有积蓄。他自己也觉得无法在北汉普顿再呆下去，于是来到伦敦，买下了这座小店铺。在对面那家新店开张以前，他一直都干得挺好。可是……

他放下报纸，从镜子里瞥见自己的脸，苦笑了一下。这点幽默感巴德先生还是有的。他远远不是缉拿凶犯的行家里手。他已进入中年，身高仅有5英尺6英寸，身体发胖，而且已经开始脱发。即使手里抓把剃刀，他也不是斯特利克兰的对手。那凶犯残忍至极，把自己姨妈切成碎块埋入花园。巴德先生摇了摇头，走到门前想看看对面忙碌的店门。他刚到门边，就差点撞上一个匆匆进来的大个男人。

"哦，对不起，先生，"巴德先生立刻想到了他的9便士生意，"我刚想出去吸口新鲜空气。对不起，要剃头吗，先生？"

那大个男人不等巴德先生反应过来，已经迫不及待地脱下了外套。

"你想找死吗？"他恶狠狠地说。

这声音让巴德先生想起了那凶手，吓得好一阵子说不出话来。

"对不起，先生。"巴德先生终于喃喃地说，心想这男人一定是个传道士之类的角色。他看上去还真像，眼睛古里古怪，红发很厚，短胡子粘满下巴。也许他想来敲诈，那太遗憾了，巴德先生还盼着拿到9便士，加上小费，甚至可以拿到1先令呢。

"染发吗？"那男人不耐烦地问。

"哦，"巴德先生暗喜，"染，先生，当然染，先生。"

真是好运气，染发可以赚到7先令再加6便士。

"很好，"那男人坐定，让巴德先生往脖子上围了一块布。"我那年轻太太不喜欢红发，她说红发太显眼，办公室的女同事都笑话她。她比我年轻得多，我得讨好她，把头发变得不那么显眼。她说她喜欢棕色，怎么样？"

巴德先生心想，这样一来那年轻女人肯定会觉得他更加滑稽，但从生意考虑，他还是同意棕色远远不如红色那么显眼。反正染发的不是女人。他知道女人染发通常是想让自己更具吸引力，而男人染发往往是因为一些古怪念头。

"嗯，不错，"那男人说，"干下去，胡子恐怕也得剃掉，我太太不喜欢胡子。"

"很多年轻女人都不喜欢胡子，"巴德先生说，"现在留胡子已经不像以前那么时髦了，不过，先生，您可不一样，您的下巴特别独特。"

"是吗？"那男子对着镜子查看自己的下巴，神色有点焦虑。"听你这么说我还挺高兴。"他往后一靠，哈哈笑起来。巴德先生注意到他那平整的牙齿中有一颗是金牙。显然这人准备为改变自己的仪容出大钱。巴德先生为了能让这人以后经常光顾，并且向朋友们推荐他的小店，染得格外仔细，生怕出错。

"我想您的头发以前染过，"巴德先生尽量小心翼翼地说，"是否可以告诉我……"

"嗯？哦，可以，我说过我那太太比我年轻得多，你知道我头发白得早——我父亲和家里其他人都是这样——没办法只得染。可是她不喜欢这种颜色，于是我想既然要染，就染她喜欢的那种颜色吧，明白了吗？"

这种瞎话巴德先生听得多了。他听过许多隐私和谎言，但从不作声，只是谈些天气政治之类的话题来取悦他的顾客。于是，巴德先生一边为那男人梳理头发，一边跟他聊一个女人的传闻。很快巴德先生就发现红色是染上去的，头发本来是浅灰色。当然这不关他事，他只知道必须特别留神，因为有些颜料与别的颜料混合后会产生色变。

巴德先生一边说着笑话，一边剃掉了那人的胡子，又打湿了头发，再揩干。谈过赛马和政局后，自然而然地谈到了曼彻斯特的那桩凶杀案。

"警方似乎已经绝望。"那人说。

"悬赏可能会有点用。"巴德先生还想着那笔赏金。

"哦？有赏金，是吗？我倒没看见。"

"就在那张晚报上，要看看吗？"

"谢谢，拿过来吧。"

巴德先生伸手抓来《晚邮报》。陌生人仔细看着，巴德先生从镜子里望着他。只见他忽然缩回本来搁在扶手上的左手。但是巴德先生已经看见了，看见了那破损的拇指指甲。巴德先生连忙提醒自己许多人都有这样的指甲，费伯就有，是在一次摩托车翻车事故中碰伤的，跟眼前这指甲一模一样。

那人抬头从镜子里紧紧盯住巴德先生。这是一个可怕的信号：那人想弄清楚巴德先生究竟知道多少。

"不过我认为，"巴德先生说，"凶手早已跑到国外去了，悬赏太晚了一点。"

那人笑起来，"我想也是。"

许多人左手有破指甲，有金牙。这样的人有成千上万，而且还可能有浅灰头发，甚至可能染过了，还可能年约43。不足为怪。巴德先生想安慰自己，但是没用。他越看眼前的这个人越像被通缉的凶手。

他擦干头发，又用梳子梳好，心乱如麻。

他记得很清楚，曼彻斯特那老妇人被碎尸成了多少块。他迅速瞥了一眼街对面的同行，店门已经关闭，街上人来人往。真是太容易不过了——

"尽量快点,行吗?"那人友好而又有些不耐烦地说,"已经不早了,我怕耽误你的时间。"

"一点也不,先生,一点也没关系。"

巴德先生一边和那人说着话,一边心想:不行,假如我拔腿往外面跑,这家伙肯定会一跃而起,一把将我揪回来,然后像处理他姨妈那样处理我。但是,巴德先生胸有成竹,一个决定要跑出去的人肯定不会被一个坐在椅子里的人逮住。他开始朝门的方向移动。

"怎么啦?"那人问。

"想看看时间,先生。"

"8点25分,我会付给你加班费。"

"哦,当然不用,先生,"巴德先生说。晚了一点,他无法再做类似尝试。他似乎看见自己绊在门坎上摔了一跤,又似乎看见那人藏在白布下的左手握着一支枪。

巴德先生走到店铺里面,整理染发工具。假如他反应迅速些——就像小说里描写的那样——他就会早一点知道那破指甲和金牙意味着什么,就会在那人满头肥皂泡的时候奔到门外求救,还可以把肥皂水弄到那人眼睛里。没有谁眼睛里浸满了肥皂水还可以杀人或者跑到马路上抓人。

现在似乎也还不算太晚。他可以手握一柄剃刀,悄悄走到那毫无戒备的家伙身后,大声说:"威廉·斯特利克兰,举起手来!你的性命在我手里,站起来!把枪交出来,跟我上警察局!"但是他没把握此举是否能成功。因为假如他把剃刀搁在那人咽喉处喊"举起手来"时,那人很可能顺势捉住他的手腕,捋下剃刀。又假如他对那人说"举起手来",而那人拒绝举起手来,他总不能老把剃刀搁在那人咽喉处,直到第二天早晨小伙计来打扫店铺吧。

巴德先生告诫自己没必要亲手逮住这人。"导致……被捕的线索"——报纸上是这样说的。他可以说斯特利克兰来过他的小店,胡子没了,头发是棕色的。他还可以跟踪他……还可以……

就在这一刹那，巴德先生产生了灵感。

他从镜子前取过一个瓶子时，想起了以前属于母亲的那柄木刀，想起了刀柄上刻着的一行字"知识就是力量"。

巴德先生立即感到空前的自由和自信。他轻松自如地拿起剃刀，一边轻声说话，一边为那人染发。待到头发染好时，街上已经行人稀少。他看见那大个男人穿过马路，搭上了24路公共汽车。

巴德先生穿好外套，戴上帽子，小心翼翼地熄了灯，也出了门。

起初，苏格兰场对巴德先生提出要见"负责人"的请求不予理会，但是他诚恳地说他能提供曼彻斯特凶杀案的重要线索时，他就被领进一个办公室，跟一位当官模样的人详细叙述了有关金牙、破指甲和染发的事。

警官按了电铃，说："帕金斯，赶快带这位先生去见安德鲁爵士。"

巴德先生被领到另一间房里，把事情对另一个更像当官的人重复了一遍。他们记下了他的叙述，毫无疑问，是威廉·斯特利克兰。

"还有一点，"巴德先生说，"我希望我没认错，如果错了，我的名声也就毁了……"

他摘下软帽，讲出了他的妙计。

"嘟嘟嘟，嘟嘟嘟，嘟嘟嘟……"

"米兰达"号客船正驶往奥斯坦，报务员在紧张地抄收电码。有一则电码使她发笑，"把这则电码交给船长看看。"

船长看完后马上打电话给大副，大副又通知二副。二副立刻去查旅客名单。

"嘟嘟嘟，嘟嘟嘟，嘟嘟嘟……"

电码迅速传遍英国海岸线附近的轮船。每艘船的船长都通知了大副，大副又通知了二副。电码同时也传到了英国、法国、荷兰、丹麦和挪威等国的沿海港口警察局。

上午七点，"米兰达"号客船驶抵奥斯坦。一位水手闯进报务室，"快发这封电报，急件，船长要警察。"

"嘟嘟嘟……"

"警方描述的男人在船上。票上名为沃森。关在舱内拒绝见人。提出要一名理发师。正与奥斯坦警方联系。等候回电。"

一群好奇者聚在头等舱36号房门口，船长费了好大劲才挤过来，跟五名水手一道守在门前。静默中可以听到36号房客在焦急不安地踱来踱去，不时摔砸什物。不一会儿，甲板上响起脚步声，船长做了个手势，六名比利时警察聚拢过来。

船长敲响了36号房门。

"谁？"

"您要的理发师，先生。"

"哦，"听声音显然松了一口气，"请让他一个人进来，我……我碰上了点麻烦。"

"好的，先生。"

门锁转动起来，船长挨近门。门开了一道窄缝，刚想关上，船长用脚紧紧顶住。警察一拥而上，随即响起一阵叫喊和一声枪响，子弹破窗而出，旅客们吓得四下逃散。

"天哪！"客舱侍者惊叫，"天哪！这人怎么一夜间变成了绿发鬼！"

真是绿发鬼！

巴德先生没有荒废精心学会的染发术。"知识就是力量。"巴德先生的知识使得他可以把一个人变得与这世界上的任何人都截然不同。一个满头绿发的凶手无处可藏。巴德先生得到了五百镑赏金。《晚邮报》从头到尾刊出了他的事迹。但是巴德先生有点儿悲哀，因为，他担心，从此以后也许再也没人敢上他的店铺染发了。

发不准S音的人

[英] G·C·索恩利

第25号警官罗伯特·塔夫脱在霍尔路的街灯下踱着步子巡视。这天晚上寒风料峭，细雨淅沥，他不时地拢紧身上厚重的大衣。他抬腕看了一下表，已经11点了。街上人迹稀少，偶尔驰过几辆汽车，冷冷清清的。

这时从街角迅速拐出来一辆的士，它速度极快，并且发出一阵阵刺耳的嘈杂声，这引起了塔夫脱的注意。的士猛地在塔夫脱身边刹住，司机伸出脑袋。

"有人叫你，"司机说，"上来吧。"

"怎么回事？"塔夫脱问。

"安德逊路有一个人叫警察，"的士司机说，"快上来吧，有人叫你。"

塔夫脱钻进的士，驶往安德逊路。

"那人为什么要叫警察？"

"我不清楚，"司机说，"他说有人打架，还死了一个人。他正跑去叫大夫，在路上碰见我的车，就叫我来找警察。"

塔夫脱靠在座椅上，汽车很快一个左拐弯，进入一条长长的马路。

"这就是安德逊路，"司机说，"那人叫我带你上8号，在马路的对面。"

汽车在马路的另一头停下。"就在这，"司机指着一栋房子说，"就是那座房子，马路对面，8号。需要我在这儿等你吗？"

"跟我一道去，"塔夫脱说，"两个人总比一个人强。"

"不，谢谢啦。"那司机说，"我已经57岁，这可不是打架的年纪。我太太也不希望我出什么事。我还是在汽车里待着好。"

"你们这些司机都是废物，"塔夫脱说，"人人都有责任协助警察。"

"需要我在这儿等候你吗？"司机再次问。

"当然。"塔夫脱跳下车，穿过马路，走向那栋房子。房子前面是一座小花园，他跃进花园，径直来到大门。

大门推不开，他一边猛撞，一边高叫，"快开门！我是警察！"

没有人回答。于是他去拉窗户，窗户也关得严严实实。他试了好几扇窗户，终于在房子背后撬开了其中的一扇。塔夫脱爬上窗台，小心翼翼地跳进房内。

一片死寂。他什么也听不见，什么也看不见。有人在黑暗处窥视他吗？"有人吗？"他不禁喊了一声。

黑暗中没有丝毫回音。

他背靠墙壁，拧亮了一盏灯。这是一间窄小的屋子，只摆了几把靠椅和几张方桌。他谨慎地走出屋子。隔壁房间也空无一人，他又拧亮一盏灯。他屏住呼吸，可是一点动静也没有。接着他逐间搜索了所有的屋子，拧亮了所有房间的灯。整栋住宅里连个人影也没有，当然更没见到什么死尸。

"咦，真是怪事一桩！"他暗自纳闷。

他最后扫视了一眼，然后把灯全熄了，又从背后那扇窗子钻了出来。那辆的士仍旧停在马路对面。

"哎，你出来啦！"那司机说，"那么说你没死。是怎么回事？"

"你弄错地方了，"塔夫脱没好气地说，"里面根本就没人。"

"那人叫我带你上8号，这里就是8号，的确是这栋房。"

"要不就是街道弄错了。"

"你听着，我对这座城市了如指掌，我在安德逊路住过一段时间，这就是安德逊路。那个人刚才就是在这儿碰上我的，没错，就是这栋房。"

"你叫什么名字？"

"我叫利格，怎么啦？谁不认识我。你这是什么意思？"

"也许你撒了谎，利格。"塔夫脱安详地说。

"你听着，我这个人从不撒谎，我……"

"快送我回霍尔路！"塔夫脱气冲冲地跳进汽车。他真不懂这是闹的什么名堂。

"那人长得什么模样？"汽车启动后，塔夫脱问道。

"你相信我说的话吗？"利格问。

"如果你不说，你就得上警察局去跟局长说。"

"你听着，"利格说，"瞧瞧这夜，又是刮风又是下雨，那人的相貌我根本就看不清。他个子矮小，帽子直压到眉棱上，穿了一件黑大衣，一件很大的大衣。"

"那人身上有帽子和大衣？"塔夫脱不胜诧异。

"那当然，今晚谁身上没有帽子和大衣。"

"他说了些什么？"

"我已经跟你说过了，他要人帮忙，要叫位警察。他塞给我几个钱，叫我上霍尔路找个警察来，说房子里发生了殴斗，他要去请大夫。说着他就跑开了。"

的士回到霍尔路，塔夫脱叫利格在一间电话亭旁停住车。"在这儿等着。"塔夫脱说着，警惕地四下望了一下。周围静悄悄的。

他给警察局挂了个电话，向局长报告了有关的士和安德逊路那间空房的情况。

"你是几点乘的士离开的？"局长在电话里问。

"11点，长官。"

"什么时候回来的？"

"刚回来，考利先生。的士就在旁边，我刚下车。"

"你离开了半个多小时，这可是不短的一段时间。"

"是这样的，长官，我起初进不去那栋房子，进去之后又不得不提防着行事。我在里面待了一段时间，想找那家伙和死尸，我逐间屋子进行了搜索，但根本就没人。房子并没有弄错，利格肯定就是那一栋。"

"利格是谁？"

"的士司机。"

"霍尔路没出什么事吧？"

"没有，长官。"

"事情很明显，有人要你离开霍尔路。你没有发现什么可疑情况吗？"

"没有，长官。"

"好吧，要睁大眼睛。"考利说，"现在把利格送到我这儿来。"

"是，长官。"

塔夫脱重新回到的士，把利格送交警察局。

这天晚上平安无事，塔夫脱像往常一样睡觉了。然而翌日清晨，考利一大早就叫醒了他。

"跟我走一趟，塔夫脱，"考利说，"上霍尔路51号。"

"出了什么事吗，长官？"

"是的，我们刚才得到消息，霍洛韦在他家里开枪自杀了。诺勒大夫，好极了！跟我们一道去，大夫。"

他们刚走出警察局，考利听见电话铃声，他赶紧折返去接电话。过了一会儿，他出来叫住一位警察。

"是莫伯雷先生打来的，他的车被偷走了。这是车号。"考利吩咐说，"叫各岗哨严加注意。"

考利和塔夫脱以及诺勒大夫一道跳上警车。

"莫伯雷的车是在哪儿被偷的？"大夫问。

"安德逊路。真是怪事，昨晚那儿怪事不断。莫伯雷的车停放在住宅外面，他出来找车时，车就不见了。你在安德逊路看见过一辆汽车吗，塔夫脱？"

"没有，长官。一辆也没有。"

"这就是说车在你去之前已被偷走了。"

"霍洛韦是什么人？"大夫又问，"他为什么要自杀？"

"他是如意商场的管事。"考利回答，"他负责管账，给雇员们分发工钱。"

"哦！"大夫若有所悟，"钱！那么他是因为钱自杀的。原来如此，这种事时常发生。可能他的钱被盗了，或者不慎遗失了，付不出工钱，只好走上绝路。今天——是星期六，是啦，是啦，一般商店都是在周末给雇员们付薪水的。"

"也许你说对了。"考利说。

"事情很清楚嘛。"

"但愿如此吧。好，就在这。跟我来。"

51号是栋平房。在其中的一间屋子里他们找到了一具躺倒在地板上的男尸，他的右手握着一柄手枪，脑袋上靠近右眼的上方有一个小洞孔。地板上有小摊殷红血迹。

大夫凑近尸体。

"晚了，他已经死了。我无能为力。事情看来很清楚，他用手枪击碎了自己的脑袋。"

"他死多久了？"考利问。

"嗯，常规问题！"大夫沉吟片刻说，"我无法断定。"

"你从来就没断定过谁，不过你估计他死了多久？"

"也许，有10到12个小时吧，"大夫说，"但我不能肯定。就这样吧，我过一会再来检查尸体，早安！"

诺勒大夫走后，考利默默地注视着尸体。塔夫脱站在他身旁。

"假如，"考利终于开口说，"是自杀的话，我们警方是没有什么可干的，这很清楚。可是，我有怀疑！"

"为什么，长官？"

"你刚才听大夫说了，霍洛韦已经死了10到12个小时，虽然他说他不敢肯定，他总是这么说，但他的判断总是正确的。10到12小时前是几点呢？"

塔夫脱看了看手腕上的表，此刻是10点。

"昨晚10点到12点。"

"是的，霍洛韦是昨晚10点到12点间自杀的，这非常不可思议。"

"为什么，长官？"

"你在11点过后离开了霍尔路半个多小时，至今尚未弄清是怎么回事。昨夜我盘问了那个司机，他也没有提供更多情况。他为什么要带你离开？霍洛韦很有可能是昨晚11点刚过时开枪自杀的，而那时你因为远离现场，什么也没听见，什么也没看见。为什么他恰巧在你去安德逊路的时候自杀呢？"

考利端详着地板，"这儿有痕迹，瞧见那块痕迹了吗？这儿还有一块。像是有过什么东西翻倒在地板上，是椅子还是桌子？"

塔夫脱望着痕迹，说不出所以然。

"好吧，跟我来，塔夫脱，"考利说，"查看一下其他房间。他为什么要自杀？先看看他的便笺和钞票，也许会找到点眉目。他可能给我们留下了遗书，许多人在离开这个痛苦的世界以前都要给世人留下遗书。"

他们进入另一间房间。墙边有一张桌子，桌上放置着钢笔、铅笔和信笺。考利翻看了一阵，没有发现任何字迹。

"霍洛韦不是自杀，"考利断言，"而是被他人谋杀了，我可以肯定！"

塔夫脱惊异地问："你怎么知道，长官？"

"瞧瞧这张桌子，塔夫脱，瞧瞧桌子旁的椅子，瞧瞧椅子前面的信笺，再瞧瞧信笺旁的钢笔。"

塔夫脱赶忙仔细观察，但并没有发现什么异常的地方。

"钢笔在哪儿，塔夫脱？"

"在信笺旁，长官。霍洛韦写了一会儿东西，后来将它搁在桌子上。"

"对。他把钢笔搁在哪儿啦？搁在信笺的哪一边？"

"左边。"塔夫脱恍然大悟，"噢！我明白啦，长官！是啦！他是用左手握笔的，他是左撇子。"

"是的，塔夫脱，左边还搁了一支铅笔。一个人不会用左手写字，又用右手开枪自杀的，可是那柄手枪却在霍洛韦的右手里，可见这不是自杀，而是他杀。有人把手枪塞在他的右手里，然后走出房间关上门。遗憾的是那人把手枪塞进了一只错误的手掌里。绝大多数人都用右手行事，可是霍洛韦却不然，X先生杀害了他，但凶手却没想到霍洛韦是左撇子。"

"X先生是谁，长官？"

"就是昨晚11点钟左右杀害霍洛韦的那个家伙。我们还不知道他的姓名，姑且称他为X。必须尽快找到他，塔夫脱，这里不容许发生更多的死亡。"

考利回到房间里，再次仔细辨认地板上的痕迹。他在桌子的一条腿上发现了一块踢痕。

"这里曾经进行过一场搏斗，椅子和桌子都翻倒了，这张桌子的腿上还有一块人踢的痕迹。霍洛韦在被击毙前跟X厮打过，撞翻了几只凳子，后来X又把它们扶回原处。问题是X为什么到这儿来？可能是想偷钱。"

他们没能搜出一分钱，于是考利让塔夫脱看住现场，自己赶往如意商场。商场里人人都已知悉霍洛韦的死讯，流露出愁虑的神情。

"他总是星期六早晨付给我们工钱的。"其中一个雇员说。

"他星期六一般带多少钱来？"考利问。

"约莫五百镑。"

"他今天没法给各位付工钱了，"考利说，"会有人代替他付给你们的。他通常用哪只手签名？"

"左手。"

"我想如此。"考利又问，"你们的账号在哪一家银行？"

有人告诉了他银行的地点。考利马上又赶往该银行。

"霍洛韦先生昨天提走了五百镑，"一位银行职员说，"他一般总是在星期五来提取五百镑。"

"他昨天提取的是什么钞票？"

"绝大多数是一镑一张的，有少数几张是五镑的。"

"你们每次付款时都登记钞票上的号码吗？"

"只登记五镑的。都在这本簿子里。"

考利抄下钞票上的号码，一共是十一张五镑的钞票。他谢过银行职员，赶回警察局。

"我们找到了莫伯雷的车。"一位警员报告说。

"在哪里找到的？"考利问。

"市中心，长官。"

"完好无损吧？"

"是的，长官，哪儿也没碰坏，已经把它送还给莫伯雷了。"

"很好！"

考利打电话给所有银行，请求他们注意查看那几张五镑的钞票。"它们被偷走了，如果有谁发现上述号码的钞票，请立即通知我。"

考利给最后一家银行打完电话，便坐下来整理自己的思绪。

"事情已经逐渐清楚，"他暗想，"霍洛韦每个星期五都要从银行取出一笔款项，这件事被X探听到了。X想把这笔款子弄到手，他先叫的士司机利格把塔夫脱从霍尔路引开，然后坐上偷来的莫伯雷的汽车迅速赶到霍洛韦家。X潜入霍洛韦的房间里偷钱，被霍洛韦发觉，两人展开了一场搏斗。X开枪击毙霍洛韦，把手枪塞进霍洛韦手中，企图制造自杀假象，然后便携带巨款，坐上莫伯雷的车逃离现场。他把车开到市中心，遗弃在闹市区，再步行回家。他住哪儿？要想把他揪出来可不是一件轻而易举的事。我们现在仅仅掌握了那几张被盗钞票的号码，这是惟一的线索。"

过了两天，有一家银行打来电话，考利立即赶去。该银行发现了其中的一张钞票，这张钞票是市里一家商店当天结账存款时送来的。考利火速赶往那家商店。

"是哪个柜台接到这张钞票的？"考利问大家，"有谁还记得持这张钞票的那个人长得什么模样？"

其中一位女售货员认出了这张五镑的钞票。

"你还记得付给你这张钞票的那个人吗？"

"不，"她说，"不记得。当时顾客很多。"

"他穿什么衣服?"

"不记得。"

"是不是头戴一顶便帽,身穿一件厚大衣?"

"不记得。"

"你仔细想想,看能不能够回忆起一点什么,"考利启发她说,"他个子是高还是矮?眼睛什么颜色?身上的衣服什么颜色?他爱笑吗?是不是容易发脾气?"

"我不知道。"

"但是你非得回忆起一点什么东西。"考利耐着性子说,"我需要你的帮助。试一试看,能想起些什么,哪怕一点也好!他是不是大嘴巴?"

"他说话很奇特。"她说。

"你指的是什么?"考利急切追问。

"他想买一只手提包,就是旅行时装衣服的袋子。他指着一只手提包说:'我要这几',而不是说'我要这只'。"

"哦?!他说的是'几',而不是'只'。"

"是的。他还说:'这系五胖,'来代替'这是五镑'。"

"我明白了,"考利说,"他发不准字母'S'这个音。很好,谢谢你。"

回到警察局,考利马上召集所有警员问:

"你们有谁认识一位把'是'说成'系'的人?"

有人低声窃笑。

"不准笑!我要你们找到他。注意每一个人,到商店里大街上跟形迹可疑的人交谈,我要找到那位发不准字母'S'的家伙。你,塔夫脱,快去把利格给我叫来。"

利格来了,考利叫他坐下。

"利格,"考利板着脸孔说,"你听着:你说一位素不相识的人叫你带塔夫脱上安德逊路,当时你为什么想到要去霍尔路找警察?"

"是那个人吩咐的。"

"嗯,真是这样?你说,那个人当时是怎么样跟你说的。"

"他叫我去霍尔路叫一位警察来。"

"我要的是他的原话。原话！懂吗，利格？原话！好好回想，告诉我他的原话。"

利格思索片刻，然后说："是这样的，考利先生，你知道那天晚上又是刮风又是下雨，我听不很清楚，况且我那辆破车又不断发出……呃……发出杂音，虽然不是很厉害，但也够吵的。"

"我知道，我知道，"考利厌烦地说，"你的那辆汽车有杂音，但是现在不谈这个。我问你那人当时是怎么说的？"

"嗯，"利格不紧不慢地说，"我头一眼瞥见他时，他正朝我的车奔跑过来。我停下车，他就扑到我的车窗前说……"

"说下去，说下去。"考利迅速掏出纸和笔。

"他说：'快去找位警察来，就在霍尔路那里。快，带他到8号，那里打架了，前厅躺了具死尸。我要去找大夫。'如果我没记错，以上这些就是他的原话。他塞给我几张钞票，就顺着马路跑了。"

考利记下这段话，揣摩了一会儿。

"从头到尾都没有一个带字母'S'的单词，"他有点沮丧。忽然他眼睛一亮，"那人提到了警察①，是吗？"他问。

"当然。"

"你可以肯定，他说的是'警察'？还是'顷察'？"

"对了，真是怪事！"利格兴致勃勃地说，"我想起来了，他说的是'顷察'！你怎么会知道的？你们'顷'察，我是说你们警察，知道的还真不少。"

"我们当然还知道不少。你碰见那个人时路边是不是停放着一辆车？"

"是呀！你怎么会知道？"

"后来你领着塔夫脱回来时那辆车不见了，是吗？"

"是呀！你说得对极了！你怎么会知道？"

"你碰见的那家伙坐上它去杀人了，就是这么回事，利格。你可以

---

① 警察(Policeman)一词没有字母S，但发S的音。

走了。"

考利等候了整整一天，手下的警员们没有谁遇见那位发不准字母"S"的人。

到了傍晚，第25号警官罗伯特·塔夫脱沿着街灯，在马路上缓缓巡视。这时已近10点钟了，他开始感到困乏，双腿沉甸甸的迈不开步子。他看见一列火车正朝远方隆隆驶去，便走向火车站。站台上亮起了一盏绿灯，另一列火车正朝车站缓缓驶来。

这时从大街上匆匆走来一个身披大衣的矮个子，他的帽檐压得很低，直至眉棱，手里提着一只崭新的手提包。塔夫脱饶有兴趣地盯着他。塔夫脱突然叫住他：

"先生，你拎着一只包准备上哪儿去啊？"

矮个子顿感惊愕。"怎么回系(事)？我要搭火车上伦敦去。"

"你不用去伦敦了，"塔夫脱笑吟吟地说，"跟我去顷(警)察局吧，X先生。"

WORLD-FAMOUS SUSPENSEFUL *STORIES*

战　争

[美]迈尔尼

　　1941年9月，我在伦敦被炸伤，住进了医院。我的军旅生涯就此黯然结束。我对自己很失望，对这场战争也很失望。

　　一天深夜，我想给一位朋友打电话。接线生把我的电话接到了一位妇女的电话线上。她当时也正准备跟别人通话。

　　"我是格罗斯文诺8829，"我听见她对接线生说，"我要的是汉姆普斯特的号码，你接错了，那个倒霉蛋并不想跟我通话。"

　　"哦，我想。"我忙插嘴。

　　她的声音很柔和，也很清晰，我立刻就喜欢上了它。我们相互致歉后，挂上了话筒。可是两分钟后，我又拨通了她的号码，也许是命中注定我们要通话，我们在电话中交谈了20多分钟。

　　"你干吗三更半夜找人说话呢？"她问。

　　我跟她说了原因，然后反问："那么你呢？"

　　她说她老母亲睡不好觉。她常常深夜打电话与她聊聊天。之后我们又谈了谈彼此正在读的几本书，还有这场战争。

　　最后我说："我有好多年没这样畅快地跟人说话了。"

　　"是吗？好了，就到这儿吧，晚安。祝你做好梦。"她说。

　　第二天整整一天，我老在想昨晚的对话情形，想她的机智、大方、热情和幽默感。当然还有那悦耳的口音，那么富有魅力，像乐曲一样老在我的脑海里回旋。到了晚上，我简直什么也看不进。午夜时，格罗斯文诺8829老在我脑海里闪现。我实在不堪忍受，颤抖着拨了那个号码。

电话线彼端的电铃刚响，就马上被人截住。

"哈罗？"

"是我，"我说，"真对不起，打扰你了，我们继续谈昨晚的话题，行吗？"

没说行还是不行，她立即谈起了巴尔扎克的小说《贝姨》。不到两分钟，我们就相互开起玩笑，好像是多年的至交。这次我们谈了45分钟。午夜时光和相互的不认识，打破了两人初交时的拘谨。我提议彼此介绍一下各自的身份，可是她婉言拒绝了。她说这会把事情全弄糟，不过她留下了我的电话号码。我一再许诺为她保密，直到战争结束。于是她说了一些她的情况，她17岁时嫁给了一个自己不喜欢的男人，以后一直分居。她今年36岁，惟一的儿子在前不久的一次空袭中被炸死了，年仅18岁。他是她的一切。她常常跟他说话，好像他还活着。她形容他像朝霞一样美，就跟她自己一样。于是她给我留下了一幅美丽的肖像。我说她一定很美，她笑了，问道："你怎么知道？"

我们越来越相互信赖，什么都谈。我们在大部分话题上看法相似，包括对战争的看法。我们开始读同样的书，以增加谈话的情趣。每天夜晚，不管多晚，我们都要通一次话。如果哪天我因事出城，没能通话，她就会埋怨说她那天晚上寂寞得辗转难眠。

随着时间的推移，我愈来愈渴望见到她。我有时吓唬她说我要找辆出租车立刻奔到她跟前。可是她不允许。她说如果我们相见后发现彼此并不相爱，她会死掉的。整整12个月，我是在期待中度过的。我们的爱情虽然近在咫尺，却绕过了狂暴的感情波澜，正平稳地驶向永恒的彼岸。通话的魅力胜过了秋波和拥抱。

一天晚上，我刚从乡间赶回伦敦，就连忙拿起话筒拨她的号码。一阵嘶哑的尖叫声代替了往日那清脆悦耳的银铃声。我顿时感到一阵晕眩。这意味着那条电话线路出了故障或者被拆除了。第二天仍旧是嘶哑的尖叫。我找到接线生，请求他们帮我查查格罗斯文诺8829的地址。尽管我知道这样做也许会引起她那小气丈夫的猜疑。

起先他们不理睬我，因为我说不出她的名字。后来一位富有同情心的接线小姐答应替我查查。

　　"当然可以。"她说，"你好像很焦急。是吗？嗯，这个号码所属的那片区域前天夜间挨了炸弹，号码主人名叫……"

　　"谢谢，"我说，"别说了，请你别说了。"

　　我放下了话筒。

摆 脱 乔 治

〔美〕罗伯特·阿瑟

达夫·丹尼斯的声音叫道："劳拉，你换好衣服了吗？"

门上的叩击声惊醒了劳拉，她猛然坐起。她坐在梳妆台前面，依旧衣冠不整。劳拉之所以被吓了一跳，是因为适才她正在做梦。梦中她站在一架照相机前面，照相机的镜头渐渐幻化成乔治的眼睛，而且不断朝她眨眼——就是乔治在杂耍时时常表演的那种不怀好意的眨眼。

好在乔治已经死了，感谢上帝。乔治已经死了5年，而她总是在很累很累的时候梦见他，比如现在——她是如此的累，在楼下的聚会进行到一半时，她竟然打起了瞌睡。

"稍微等一下，达夫。"她答道，可是门已被推开，福摩斯特影视公司公关部头目的矫捷的身影走了进来。达夫的小圆脸怒气冲冲，两手叉腰，对她怒目而视。

"喂，劳拉！"他说，"你大概忘了自己正在举办一个与新闻界拉关系的聚会吧，干吗什么也不做，却躲在这儿生闷气。斯塔克罗斯·拉芙答应今晚唱主角儿，而且干得还不错，可是如果你不露面，你怎么能与那些写文章的人交朋友呢，我的意思是快点。"

"我就来，达夫。"她努力克制自己。她讨厌达夫·丹尼斯，就像他讨厌她一样。"我有点累，就这么回事。"

"明星没有累的权利。明星属于大家——也就是说属于报界。"达夫一副油腔滑调。

"你最好离开这儿，"劳拉·雷娜对他说，声音里流露出危险的甜蜜，

"否则我就用这个砸你。"在她从梳妆台上拿起一座镀银雕像的时候，达夫连忙退了一步。那座雕像是她的私人代理人哈利·劳伦斯送给她的礼物。

"等等，劳拉！"他忙说，"如果今晚见不到大名鼎鼎的劳拉·雷娜的风采，你就会名声扫地。"

"别慌，"她扭身掷给他个背影，"我会对所有的混蛋都露出微笑，装出一副好像我并不想往他们脸上吐唾沫的样子。海勒·法兰奇和比利·彼尔斯是不是也在？"

"正在咬指甲等你呢。"

"我就猜到他们会来。这两个家伙整天盘问玛丽，我的个头，还有彼得罗，那个男仆，想知道我什么时候刷牙。"她噘了噘嘴，"玛丽被海勒收买了，知道吗，把她知道的什么鸡毛蒜皮都告诉他。彼得罗用同样的方法收拾了比利。我晚上一说梦话，那些畜生第二天就会知道。"

"这些鸟事对明星的声誉至关重要。"达夫·丹尼斯说，"你自然心里有数。我等你10分钟，呃——对了，新来了一位记者，从东部报业集团来的。他想私下采访你，问你作为一个被所有男人都渴望弄到手的女人感觉如何。"

"滚他妈的蛋。给哈利·劳伦斯送一杯酒去，我马上下来。"

"听你的吩咐。"小男人说着关上了门。

劳拉探过身子，看着镜子里的自己。她今年35岁，通常看起来只有29岁。可是今儿晚上她看上去简直像有40岁。因为她累了——天呐，太累了。不胜其烦的客套话啊，聚会上唱女主角啊，等等，等等——好在这一切都已过去。接连不断的轰动之后，她解除了与公司的契约。现在她终于可以与哈利一道组建自己的公司，拍自己想拍的片子了。他已经与联合公司商谈过三部片子的事宜，这意味着他们每人可以赚到好几百万。更重要的是，他们可以因此逃到海外去，逃离所有那些用明星的血做墨水写文章的无聊文人和畜生。过去5年里，那些家伙一直在吸她的血，企图将她的背景和她的过去公诸于众——而这正是她和哈利竭力想藏匿的。

　　她在好莱坞引起轰动之前的那7年生活居然在她脸上一点也看不出来，这不能不说是个奇迹。7年中她在全国各地的廉价杂耍班子里表演过，跟丈夫乔治一起跳脱衣舞，像个小丑。乔治，在她生病后拿走了她挣来的一切，然后一脚把她踹了。乔治，一生中所做的惟一一件不算自私的事情，是在纽瓦克的一桩抢劫案中被人谋杀了。当她在报上读到他的死讯时，她感到一辈子都没有那么快活过。

　　可是海勒·法兰奇和比利·彼尔斯是多么想把这件事情捅出来，捅给全国的三百家报刊和几千万读者啊！

　　幸亏有了哈利·劳伦斯——噢，感谢上帝派来了哈利！此时她仿佛看见了他，个高肩宽，声音平缓，正在楼底下与那些记者和小明星从容周旋，逗得人人发笑，甚至连海勒·法兰奇也被逗弄得神魂颠倒。现在她和哈利可以双飞双宿啦——现在他俩已经拥有了自己的公司。当然，首先得收拾海勒！她许诺过给海勒提供一条独家新闻，那个掌管好莱坞流言栏的长舌瘦女人自然不会放过这样一个机会。

　　又有人敲门。她快活地转过身。

　　"进来，哈利！"

　　门开了，可是进来的却不是哈利·劳伦斯，而是一个个头很小的男人，留一头黑发，戴一副很大的塑胶架眼镜，几乎把整个脸都罩了起来。劳拉在一瞬间似乎感到来者似曾相识，可是这点感觉马上就被恼怒冲掉了。

　　"你是谁？"她喝问，"跑到我房间里来干吗？"

　　"东方报业集团，"来人小声回答，"就想跟你谈一小会儿。"他掩上门，缓缓地环视了一遍舒适的梳妆室。

　　"我跟达夫说过在楼下见你！"

　　"我想你还是更愿意私下谈谈吧，格罗丽娅。"

　　"怎么，你——"她说不出话来，用手捂住胸口，"你叫我什么？"

　　他取下巨大的塑胶眼镜，弄散油亮的黑发之后慢慢地闭上右眼，半睁着眨动起来。

　　"现在认出我了吧？"

"不！哦，不！"在她内心一个声音在叫，**乔治！没有死！没有死！**"这不可能！见你的鬼，你死了，报上说的，纽瓦克的抢劫案。"

"是个误会，故意弄出来的。总之我蹲了大牢，用别人的名字，6个月前才被放出来。你可让我好找啊，小宝贝。新名字，新鼻梁，新牙齿，新事业，以前那个乔治和格罗丽娅喜剧演唱团里的老格罗丽娅·戈登可是一点影子也见不着啦。你现在这地方不赖，比我俩以前混饭吃的那些耗子窝强多啦。"

绝望和愤怒几乎让她发抖。这就是乔治，就是他，从死神的手里溜了回来，又来糟蹋她的生活。

"你要什么？"她努力让自己的声音保持平静，"如果要钱，我付你25000元了断一切，然后离婚。"

"离婚？"乔治咧嘴一笑，露出发黄的大牙，"我可不干。我是你亲爱的丈夫，在经过一段很不情愿也很无奈的离别之后，又回来看你来啦。"

"我情愿死，"她厌恶地说，"你过去是一头猪，你现在还是一头猪。五万。我上哪儿去借来就是，用五万块去填你那个洞。别忘了，我可知道在克利夫兰发生的事，你仍旧可能因为那件事情坐牢。"

"可是假如人人都知道杂耍团的脱衣舞娘格罗丽娅·戈登现在成了好莱坞最卖座的性感肉弹劳拉·雷娜，事情又会怎么呢？碰巧得很，我手头正有几张你的脱衣舞玉照，那些专登丑闻的破杂志对它们可是挺感兴趣的啰。"

劳拉闭上了眼。

"乔治，"她说，"你可要小心。我现在把价码提高到10万，你最好拿了就走远点。我可不是孩子，你甭想再敲诈我。"

乔治将两手往皮带里一插，露出一脸的狞笑。

"小宝贝，这里可是加利福尼亚，别忘了公共财产法①。我的是你的，你的也是我的。你在银行里存了几百万块钱，还是别来跟我计较这几个小零头吧。现在先过来亲亲你的失踪已久的丈夫，他得了健忘症，

---

① 按美国一些州的法律规定，男女结婚后，夫妻双方共同享有家庭的所有财产。

还需要你好好温存一番呢。"

她跳了起来，乔治朝她大步走过去。他一把抱住她，迫使她头向后仰。

"放开我！"她气喘吁吁。

"你要我对你好点，你就对我好点。过来，亲亲孤独的老乔治。"他捉住她左手的手腕，拧到她的背后，疼得她咬紧嘴唇才没叫喊出来。

"这就对了，"他以一种残忍的幽默口吻说道，"好了，现在像个女人那样过来亲亲你丈夫。"

疼痛和厌恶在她脑海里燃起了一片白色的火焰。她感到自己的右手碰到了那座镀银雕像，随后用尽了全力便向下砸去。接下去的事情她也不知道是怎么发生的——就像另外几次使她声名狼藉的歇斯底里大发作那样，整个身心都燃烧起愤怒的火焰。等到一切都告结束，她发现自己手持雕像，上气不接下气，正弯腰看着乔治。乔治躺在壁炉前的地毯上，眼睛睁得老大，一副很吃惊的样子，脑袋的一侧有个窟窿，鲜血正缓缓往外流。

这时劳拉意识到有谁走了进来。

她转过身，只见哈利·劳伦斯背朝门站在那儿，手里拿着一只高脚玻璃杯。

"天哪！"他惊叫，"劳拉，怎么回事？"

她双手发抖，接过他递来的酒杯，在他去锁门的时候喝下去大半。然后她摸到梳妆台旁边的椅子坐下，向他叙述了整个过程。

"我明白了，"待她说完后，他说，"是你丈夫。天哪，劳拉。"

"我觉得他死了！"

"他是死了。老天，他现在确实死了。当然这属于防卫，可是你非得打破他脑袋不可吗？"

"他不放我走。我失去理智，就不停地打他打他，直到他倒下去。"

"当然，这我知道。可是那些写文章的家伙们呢？他们是不是要弄个头条新闻，说你又大发脾气——把他打死了？"

"他是只跳蚤，"她低声说，"他来这里敲诈我。"

"我知道。可是如果你先抵抗一下子等我来——"他掏出一块手绢儿擦擦额头。"天哪，劳拉，就比如说海勒·法兰奇吧，她一旦知道你对她隐蔽了自己的过去，她就会渲染出一桩血案攻击你。她会站在乔治一边，为这个可怜的家伙编造出悲惨的经历，说他如何坐牢，如何被你抛弃，又如何爬回来向你求救，而你干了些什么呢？你把他揍得脑浆四溅。她什么写不出来？而其他的人只会跟着她瞎起哄。"

"我的上帝，哈利！"她抓住他的手，"那就是说——一切都毁了，是不是？我们的公司——跟联合公司的合作——我的前程……"

"还可能以谋杀罪判处你在圣奎汀监狱坐大牢，甚至终身监禁。这都取决于海勒和比利还有其他家伙写得有多恶毒。即便我们能逃过这一关，我们的公司、计划，还有你的事业也都彻底完蛋了。"

"不，哈利，不！"她用自己的脸庞贴紧他的手，发疯似地在上面磨擦。"我们肯定可以做些什么。谁也不认识他，他是化名到这儿来的，而且他并不真是个记者，也许我们可以摆脱掉他——为了公司的声誉，达夫·丹尼斯可能会帮我们。"

"他也许会。"哈利思考了一会儿，"不行，我们不能信任他。公司一旦解散，他就会把整个事情全兜出去。为了一个故事，达夫连掐死他奶奶都愿干。"

"那我们怎么办？"她哭了起来，"能把他弄出去就好了——可这办不到。你知道我正被监视——我的一举一动玛丽和彼得罗都从不放过。我去到哪儿，哪儿就有记者和拍照的人从灌木丛里钻出来。我不可能偷偷提一个大箱子出这幢房子私下离开，这比摆脱乔治还难。"

"我知道，但我们至少要把他藏起来才行啊，而且你也必须到楼下去。你有没有大皮箱？"

"有，在里屋，是个很旧的大衣箱。我一直带在身边，因为是妈妈留给我的。现在空着。"

"好。你现在赶紧打扮，我来处理乔治。"

她转身面向镜子，发疯似地往脸上抹粉，尽量凑近镜子，免得从镜子里看见哈利在干什么。她听见搬动大衣箱的声响，听见哈利叽里咕噜地发出抱怨，听见大衣箱砰的一声合上了箱盖，这时她正好梳妆完毕掉过身。大衣箱靠墙立着，已经锁上。乔治和那块他躺过的地毯不见了，染血的小雕像也没了踪影。哈利仔细检查了自己一遍，没看到身上有血迹，便朝大衣箱点了点头。

"乔治安安静静地睡着呢，"他说，"让他睡着吧，我来想想该怎么办。先应付应付楼下的事，然后叫警察。我们当然可以证明这纯属自卫。拖得越久，事情对我们就越不利。"

"不！"她叫道，"不，哈利！我好不容易才爬到好莱坞的巅峰，绝不能就这样轻易毁了。乔治毁不掉这一切。他曾经毁了我——他别想再这样做。我们一定得想想办法，一定得想想！"

"那好吧，先到楼下去跟新闻界见了面。要笑，劳拉，要笑。"

她笑了。她喃喃自语了几句下流的笑话，接着发出了女人的咯咯笑声。

"东部报业集团的那名记者呢？"达夫·丹尼斯问她。她甜甜一笑，"我跟他谈过了，他一定跑回去编他的故事去了。"

海勒·法兰奇把她拉到角落里。"你今晚脸色不大好，亲爱的，"那个又高又丑的女人说，"大概是劳累过度了吧。"

"我喜欢我这一行，亲爱的海勒，"她轻声说，"否则就不会这样玩命了。"

"你那位经理呢？"海勒问，"你们俩准备什么时候偷吃禁果？"

"到那一天，你会头一个知道。"劳拉笑笑，继续与众人周旋。所有的脸都变成了一张脸——乔治的脸。所有的眼睛都变成了乔治的眼睛，朝她邪恶地眨动。她好像拥有X光的透视能力，可以透过天花板，看见自己的梳妆室，再透过上锁的大衣箱，看见乔治蜷缩在里面，一生当中第二次死去——死去了还在企图毁掉她的一切。

可是他办不到，见他妈的鬼，他办不到，办不到——

她的思绪忽然被打断了，哈利挽住了她的胳膊。

"放松些，劳拉，放松些！"他在她耳畔低声说，"你的样子好像碰到鬼了。我已经决定了，跟我来——跟着我走。达夫正像捅了黄蜂窝似的四处乱窜，海勒会更疯。但我们只有这样做。"

她跟着他，不再吭声。他俩站到扶梯上，俯视屋内，哈利伸手揽住了她的腰。

达夫·丹尼斯一副痛苦不堪的样子，站在他俩身边，敲响了一面进餐用的中国铜锣，于是满屋子兴高采烈的记者和初露头角的影星纷纷聚拢过来。

"诸位，"达夫·丹尼斯笑了笑说，"我要告诉你们一个惊人的消息。老实说，我也是刚才才知道的，因为劳拉和哈利刚刚才作出决定。因此，请诸位原谅他俩用这种方式公布这条消息。他俩——还是让哈利来说吧。"

哈利搂紧她，向她传送自己的力量。

"朋友们，"他开口说，"因为你们都是我俩的朋友，劳拉的和我的，所以这个消息就很简单了。劳拉和我——呃，我们已经相爱有一段时间了，现在劳拉的电影已经拍完，我们觉得是时候了。我们准备结婚。今天晚上就出发，飞往玉玛结婚。只要我包的飞机装得下，任何人都将受到欢迎与我们同往，剩下的欢迎留在这里继续跳舞，明天我们还要回来收拾行装，为蜜月作些准备。衷心希望得到各位的祝福！"

下面立刻响起了嘈杂的喧闹声。劳拉一眼看见海勒·法兰奇憋紫了脸，气呼呼地拨开他人朝她挤过来，便赶紧努力振作起来。

"可是为什么，哈利，为什么？"她悄声问，"哦，我真高兴，可是为什么？"

"因为，劳拉，"他同样悄声地告诉她，"这是我们摆脱乔治的惟一办法。即便是好莱坞的明星，也可以躲起来度度蜜月，对不对？"

她再次见到梳妆室是在过了一个白天和半个夜晚之后。她悄悄推开门进去，里面只有一只小灯泡熠熠闪亮。她放心地笑了，哈利紧跟在后面，关上门并上了锁。他们已经结婚12小时，两人一直形影不离。

"我们就下来，"他高声叫道，"给我们留一杯。"

门外的摄影记者散开，纷纷走到楼下。劳拉的笑容不见了，脸上一副绝望的表情。"哈利——"

"放松些，劳拉。"他伸出一只胳膊搂住她，"最糟糕的已经过去了。"

"如果再要我对那些记者笑……"

"我知道。你从来就没表现得这么好。"

"他们要我——再笑一点，可我老想着乔治——躺在这个衣箱里——我就笑了，哈利，笑了！"

他抱着她，让她心里的难过慢慢退下去。

"谢谢，亲爱的，"她说，"我很快就会好的。我们现在怎么办？"

哈利环顾屋内。

"不要紧，"他说，"让玛丽去收拾你的东西，我的已经让佣人收拾好了，大衣、地图、手套、相机、还有墨镜，我想都收拾好了。叫玛丽带上彼得罗和你的司机往车上装行李，我们去跟楼下的记者们道别，然后告诉达夫别让任何人进来，这样我们就可以摆脱乔治了。"

有人叩门。"喂，是达夫·丹尼斯。"

"进来吧，达夫。"哈利拧开锁，把门拉开。

"怎么样，两只小情鸟，度蜜月的东西准备好了吗？"

"准备好了，亲爱的达夫。"劳拉的声音充满柔情。"谢谢你为我们做了这么多事。你都快变成一只小绵羊啦。"

"没事。"文雅顺从的外表掩饰了他内心燃烧的怒火，"不过你们最好还是给我交待一些注意事项，这个月所有的大报都会为我们发头条新闻的。"

"爱情和战争不等人，达夫，"哈利·劳伦斯说，"你知道该怎么做。"

"好吧，"公关部头头显示出很宽容的样子，"反正这下新闻界可有事干了，你们度蜜月的这两个星期肯定热闹非凡——采访啦，拍照啦，事情可多呢。对了，你们还没说起过准备去哪里。"

"墨西哥。"哈利·劳伦斯冷冷地说，"不过我可要告诉你——我们想保密。不想碰见谁，不想碰见什么记者。"

"等等！"达夫·丹尼斯和善的面罩忽然不见了，"你们用宣布结婚的方式耍了我，别想就这样跟外界断绝所有的联系。"

"我们想，而且准备这样做。"劳拉板着面孔说，"即使在好莱坞，度蜜月也可以自个儿过。"

"我答应过海勒·法兰奇，你结婚时给她提供独家新闻！"达夫·丹尼斯说，"如果你想要她永远对你怀有敌意——包括你们准备组建的新公司……"

"好吧，"哈利插话说，"两天怎么样？就给我们48小时。两天后向海勒提供独家消息。"

"行啊，"——达夫摊了摊他那女人气十足的小手——"两天。是墨西哥，嗯？"

"对。我们计划到山里去拜访一位老朋友，顺便打打猎。两天内给你挂电话，告诉你确切的位置。告诉海勒，她可以电话采访，单独采访。"

"好吧。"达夫文雅地耸耸双肩，"男男女女都在楼下等着给你敬酒，劳拉，你最好还是跟他们说几句话吧。"

"她会说的，达夫。我们先告诉玛丽，让她交待佣人去装车，然后就下去。"

"行。"达夫出去了。

劳拉闭上双眼，哆哆嗦嗦地抽了一口气。

"不要紧，哈利，我可以再跟他们见见面。"她说，"我知道该说什么。"她站起来，快活地笑笑，伸出一只手做了个祈祷的手势。

"谢谢，谢谢，谢谢各位。我无法表达现在有多么幸福，你们的良好祝愿对我俩意味什么。你们是这么友善而富于理解力。现在我俩有个小小的请求。我俩准备躲起来——亲爱的朋友们，请别打听我俩准备去哪里。我们只想要一个小小的结婚礼物——给我俩48小时单独在一起——就我们两个人。"

她的脸色马上变了，一副饱受折磨的样子。

"就我们两个人，"她想，"这样我们就可以摆脱乔治，我的前夫，一个恶棍。"

道路伸向漫漫黑暗中，惟有旅行车的前灯在暗夜中闪烁。哈利·劳伦斯坐在方向盘前，脸上布满了疲惫的皱纹。劳拉靠着他，从他的体温和亲近感中获取安慰，脸蛋因为极度困乏而凹陷下去。

"现在总算自由了，"哈利注视着空旷的道路，平静地说，"虽然你装出很热情的样子，但我敢打赌没有谁会跟踪而来，我们把他们给甩了。幸好没告诉那个两面派丹尼斯。"

"不管怎么说，我们好歹结婚了。"她提高嗓门，好像要垮下去了一样，"确有其事，是不是，哈利？我们的婚姻会一直保持下去，因为没办法，因为知道的事情太多了。"

"是结婚了，我真高兴！"他轻快地说，"我们的婚姻会一直保持下去，因为我们就想这样。多亏了乔治，是他成全了我们。"

"乔治！亲爱的乔治！是他让我们结了婚。现在快乐的新娘子正用大衣箱装着她的前夫，像带着一件嫁妆似的带着他去度蜜月哩。"

她用双手捂住了脸。哈利让她抽泣了几分钟，然后腾出一只手拍拍她。

"劳拉！后面有车灯跟踪我们，追上来了！"

她倒抽一口气。"记者？"

"不是——你听。"两人都听见了尖厉的警笛声。"是警车。"

"哈利，他们发现了！哦，天哪，他们发现了！"

"不可能。除了你和我——只有乔治知道这件事——而我们对谁都没说起过。我们的旅行车跑不过警车。不管怎么样，好样的劳拉·雷娜——要尽量沉住气。"

他一踩刹车板将车停在路旁，警车呼啸着随即在他们身后刹住。劳拉神经兮兮地掏出化妆盒猛往脸上打粉。哈利则摸出一支烟，正待点着，一位矮壮的警官大步走到车旁，将一张气势汹汹的脸贴在车窗玻璃上。

"看看驾车执照，"他高声说，"先生你今晚急着想去哪里呀？"

"当然啦！"哈利装出一副很幽默的样子回答道，"我正是这样。我们刚刚结婚——"

"哎，警官。"劳拉伸手摸到顶灯，将它拧亮。她探过身子笑了笑。"我想你会明白的，我是劳拉·雷娜，这位是我丈夫，我们今天早上才结婚。"

"劳拉·雷娜，哦？"那张气呼呼的脸上浮现出一丝微笑。"我在电视上看过你的婚礼。新闻片，今天下午。所有的报纸都登了。"

"是啊，闹哄哄的。"她叹了一口气，又可爱又可怜的模样，恋爱中的女人只想寻求隐蔽。"现在我俩想躲起来安安静静度蜜月，如果超速了，这就是原因啦。"

"哦，当然。"警官说话的当儿，哈利悄悄地将手伸到车窗外，塞给警官几张钞票。"我明白是怎么回事了。你瞧，如果我老婆得知我在劳拉·雷娜去度蜜月的路上把她抓了起来，她不把我踢出门才怪呢。"

"你很通情达理。"劳拉轻声说，用微笑表达了亲切的谢意。"什么时候带你太太到电影公司来，我很乐意让她看看拍电影的过程。"

"你说话当真？她肯定会高兴得跳起来。好了，祝你们走运，雷娜先生和雷娜夫人。"

"非常感谢。"劳拉娇声说。旅行车重又发动起来，这时警车在他们身后渐渐远去。她一直等到警车的车灯从视野里消失，才开口说话。

"哈利，我再也受不了了。受不了。"

"差不多了，心肝宝贝儿。再走一里往北拐，就到我的山间小屋了。我们一直往南跑，就担心达夫跟踪，现在好了，可以加速往回赶。到凌晨3点就可以住进小屋，这个时节那地方绝对不会有人，那时候我们就可以摆脱乔治，永远摆脱他。"

"快，"她放低声音，"快。每时每刻我都感觉到他在背后，在大衣箱里，朝我们眨眼，好像他知道正在发生什么事情。"

他点点头，加快了车速。她盯着白色的路面疾驰而来，直到两眼发酸，最后靠着他的肩膀睡着了。

在车子经过一段凹凸不平的路面时，背后装着乔治的大衣箱翻动了一下，汽车的后盖几乎被撞开。

后盖仍旧闭着，大衣箱躺回原处。

在她再次睁开眼睛时，汽车停了下来。四周一片寂静，连小虫子的叫声都听不见，只有夜风穿过松林时发出阵阵低语。哈利关了车灯，他那栋摇摇欲坠的破旧屋子，像一个无言的鬼影耸立在群星闪烁的天空下，背后是一个孤零零的湖。

"到了，"他说。她吓了一跳。"万事如意。我有一个小时没看见任何车灯。我们把乔治藏进小屋，然后把这儿锁了，让它烂掉。他在世界末日到来之前会活得好好的。"

"感谢上帝，"她说，"我一直相信乔治会以某种方式毁了一切的。"

"别担心乔治了，"哈利钻出汽车，打开后盖。"其实，我对自己能在那么多记者的鼻子底下把乔治弄出来还是很满意的，有一天我要拍一部有关乔治的电影。"

"别！别那样说，哈利！"

"好吧，好吧，我忘了这念头。这是小屋的钥匙——这种破屋子你翻窗户都可以爬进去。我来扛乔治——你走前面，把灯打开。"

他打开大衣箱。她听见他骂了一句什么，但是没敢回头看。她顺着凹凸不整的小路往上走，他的缓慢沉重的脚步跟在后面。她登上石阶来到木条搭成的门廊，摸索着将钥匙插进了锁孔，把门推开。她摸着陌生的墙壁在前面引路，想找到电灯的开关。

"我找不到灯在哪儿。"她说。

"是顶灯，一拉线就行了。乔治越来越重了，我想把乔治放到床上去。"

她在漆黑中摸找电线，刚刚摸到就听见忽然从隔壁房传来嘈杂的哄笑声和脚步声。

"墨西哥，那个人说，"达夫·丹尼斯的嘲笑声把她的手指冻结在拉线上。"我一看到他外衣口袋里的那张路线图，又见他没去办墨西哥旅游卡，心里就明白了。好了，伙计们，让我们正式欢迎快乐的一对儿。我猜想他正抱着他的新娘儿走进门来呢，准备拍照拍照，彼特。"

立刻响起一阵乱哄哄的叫声。"新娘来了，新娘来了——"闪光灯将屋内照得耀眼明亮。劳拉的手猛一痉挛，拉亮了电灯。

随着电灯亮起和闪光灯造成的炫目感逝去，喧闹声刹那间凝固了。

"天哪！"有人喊了一声，随后一名女记者尖叫起来。

哈利站在劳拉身边，乔治横在他的肩膀上，乔治的脸距她只有几寸远。她没看见达夫·丹尼斯，没看见那群记者，也没看见那个尖声乱叫的女人，她只看见乔治那双死去的眼睛，那么近，因为严寒而略微睁开，随后邪恶地眨动了一下，又合上了。

红 发 会

[英] 柯南道尔

去年初秋的一天，当我去拜访歇洛克·福尔摩斯先生的时候，看见他正在与一位红头发的胖老头交谈。

"你来得正好，"福尔摩斯说，"这位是贾比茨·威尔逊先生，他有件趣事要说。威尔逊先生，这位是我的朋友华生医生，他帮过我许多次忙。请把你的事情再说一遍吧，威尔逊先生，华生医生和我都想听听。"

胖老头从外衣里面口袋取出一份报纸。他看上去像是一位很平常的英国商人，穿了一条宽松的灰色长裤和一件黑色夹克衫。旁边的椅子上搁着一顶帽子。他仔细地在报纸上搜寻了一会，然后抬起脑袋，说：

"是啦，就在这儿。事情就从这儿开始，您自己看吧。"

我从他手里接过报纸。

致红发会会员：遵照美国宾夕法尼亚州莱伯龙市伊萨克·霍普金斯先生的遗愿，本红发会将为诸位提供一个机会，招收一名工作人员。该工作人员只需做些非常轻松的工作，即可获得每周四英镑的报酬。所有红头发，身体健康，年龄在21岁以上的男性均可应试。应试者请于星期一早上11点前来舰队街①鲍普大院7号红发俱乐部面晤杜肯·罗斯先生。

---

① 舰队街，伦敦报馆林立的街道。

我连看了两遍，问道："什么意思？"

福尔摩斯笑了起来："有点莫名其妙，是吧？报纸是哪一天的，威尔逊先生？"

"4月27日的《记事报》，整整两个月以前。"

"嗯，后来呢，发生了什么事，威尔逊先生？"

"是这样的，我在市郊的萨克斯柯伯格广场经营一点小买卖，买进卖出，赚不到什么钱。我原先雇了两个人，现在只剩下一个。我本应该多给他一点工钱，但是他只要一半。他大概是想从我这儿学到一点做买卖的诀窍吧。"

"这年轻人叫什么名字？"

"温森特·斯鲍尔丁。他已经不算年轻了，福尔摩斯先生。他到其他地方做事本可以拿到更多的钱，但是他情愿跟我干。他惟一的不良嗜好是摄影，在楼下的小屋内冲晒照片，老半天泡在里面不出来。不过他是个好人。我本来还雇了一位小姑娘，做饭扫地。您知道，我老婆过世了，家里没人照看。

"还是温森特·斯鲍尔丁告诉我这个消息的。'瞧，威尔逊先生，'他说，'可惜我没红头发。有位美国阔佬死后把财产全捐给了红发会。他们现在要招收一名工作人员。'接着他又告诉我红发俱乐部每年付给其成员两百英镑，只要每天上俱乐部待上几个小时即可。我心想这件差事倒挺美，反正我的买卖又挣不了几个钱。我仔细读了这则告示。俱乐部似乎是那位有钱的美国人伊萨克·霍普金斯出的主意。他是位非常古怪的人，长着红头发，死后决定把所有财产分给其他红头发的人，但是要求他们必须是头发真正红得熠熠闪亮的伦敦人。只有这种人才有资格加入该俱乐部。我对温森特·斯鲍尔丁说：'太妙了，我简直太合适了，我的头发又红又亮，你瞧，而且我又在伦敦出生。走，去红发俱乐部瞧瞧去。'

"那天我们关了商店，来到红发俱乐部。天哪，福尔摩斯先生，我们赶到那地方时，只见街道上挤满了红头发的人。我对斯鲍尔丁说，'糟糕，有好些人哪！''没关系，你得去试试。'他拉着我穿过众多等待进去的人群，硬挤到屋子前面。我们找到一扇侧门，进到办公室里。

"办公室内只有两把椅子和一张桌子。一位红头发男人坐在桌子旁，仔细审视每一个进来的人。但是每次他都说，'不行，这个不行，下一个。'当他见到我时，显得特别高兴。'这位是贾比茨·威尔逊先生，'斯鲍尔丁为我介绍说，'他想加入红发会。'

"'当然，当然，我们正需要人，太好啦，太好啦，'那人前前后后打量了我的头发，忽然捉住我的手说，'我们需要的就是你！'说着，一把揪住我的头发狠命拽，直疼得我大叫起来。'真对不起，威尔逊先生，'他说，'我想看看这是不是真是你自己的头发。我得谨慎行事，你瞧。'然后他打开窗户，对窗外马路上的人说，'我们已经找到合适人选啦，大家请回去吧！'街上传来一阵失望的哄叫声，随后人群四散而去。'

"'我叫杜肯·罗思，'他说，'红发会的发起人之一。那么你什么时候可以开始工作呢，威尔逊先生？'

"'这个，还有点小麻烦。我开了一家小店，你知道。'

"'没问题，威尔逊先生，'斯鲍尔丁说，'我可以替你照看。'

"'几点钟上班？'我问。

"'早上10点到下午2点。'

"我每天晚上得干到深夜，福尔摩斯先生，所以我心想中午时间再捞点外快倒也不坏。况且温森特·斯鲍尔丁可以为我照管铺子。

"'报酬多少？'我又问。

"'每星期4个英镑。不过有一点你得注意，工作时间你必须待在屋子内。如果你擅离职守，将会被辞退。这点很重要，是伊萨克·霍普金斯先生的遗愿。'

"'行，我能办到。那么干什么呢？'

"'把这部字典里的单词抄写下来。'他指着桌子上一部很厚很厚的辞典说。

"'就这事？'

"'就这事。你明天可以开始吗？'

"'当然可以。'我又惊又喜。

"回家的路上，我边走边想，是我疯啦还是他疯啦？为什么叫我抄写字典？温森特·斯鲍尔丁安慰我别发愁，管他的呢，反正报酬是那么丰厚。于是，第二天我就去红发俱乐部上班，开始工作。罗思先生对我很热情，桌椅纸张都摆好了。我从字母A开始抄写。罗思先生在外边，但是不时进来瞧瞧我抄得怎么样。到两点钟他关上门，我就下班回家。这就是我每天干的活，福尔摩斯先生。罗思先生后来来看我的次数愈来愈少，当然，我从未离开过房间一步，我可不想失去那难得的4英镑！每个周末我都可以拿到钱，简直太容易啦。八个星期过后，我抄完了从A到G的所有单词，可是，好差事忽然没了！"

"没了？"

"是啊，福尔摩斯先生。今儿早上我像往常一样10点钟去上班，可是门锁着，上面贴着这个。"

他递给福尔摩斯一张纸条。

红发会已经解散。6月27日。

福尔摩斯和我看了都禁不住笑了起来。可是威尔逊先生却板着脸没吭声。

"噢，对不起，"福尔摩斯说，"那你怎么办呢？"

"我问了附近的一些人，他们都不知道红发会这个组织，也没听说过杜肯·罗思先生这个人。他和红发会都消失得无影无踪了。这就是我来找您的原因，福尔摩斯先生。"

"你做得很对，威尔逊先生。这件事确实有点蹊跷。"

"是啊，我每周又少了4英镑。"

"远比这要严重。我有几个问题要问你，威尔逊先生。那个为你干活的人，斯鲍尔丁，跟你多久了？"

"一个多月。"

"你是怎么认识他的？"

"我在报纸上登了一则招聘启事。"

"应聘的人多吗？"

"是的，但是他说他情愿只要一半工钱。"

"他长得什么模样？"

"嗯，个子矮小，结实，很能干。大约三十来岁，脸上有一小块棕色的疤痕，就在右眼上方。"

"原来是这样，"福尔摩斯坐起身子，"耳朵上是不是有个小孔？"

"是啊，您怎么知道？"

福尔摩斯没回答。过了一会儿，又问：

"他还为你干活吗？"

"是。"

"很好。今天是星期六，我星期一给你答复。"

"太谢谢你了，福尔摩斯先生。"威尔逊道过谢，便走了。

福尔摩斯在桌子旁静静地坐了一个小时，一言不发。之后，他站起身。

"走，华生，出去散散步。"

我们乘车朝爱尔德门方向行驶了20分钟，又走了一小段路，来到威尔逊先生经营小店的萨克斯柯伯格广场。这是一条两旁盖着两层砖瓦房的街道，显得非常古老。拐角那栋房子就是贾比茨·威尔逊的店铺，门关着，他的名片贴在大门上。福尔摩斯仔细察看了这栋房子以及周围的其他建筑，在街上缓缓来回踱着步子，不时用手杖在人行道上轻叩地面。跟着，他敲响了威尔逊先生的房门。门开了，闪出一位样子颇为精明的年轻人，请福尔摩斯入内。

"谢谢，"福尔摩斯说，"我只想问问从这儿去斯特朗德怎么个走法？"

"到第三个街口往左拐，第四个街口往右拐。"说着，年轻人把门关上了。

"找到什么线索？"我清楚他并不想知道什么斯特朗德，只是想看一眼斯鲍尔丁。

"嗯，不过我没注意他。"

"那你注意到什么啦？"

"他裤子的膝盖。再去看看后面那条街。"

我们来到萨克斯柯伯格广场的另一条街。刚转过街角，便发现这条街与刚才察看过的那条街截然两样。那条街上，威尔逊的房屋和其他房屋都又矮又旧，满目萧条。而这条街上，到处可见繁华的橱窗楼宇和熙熙攘攘忙着赶路的人群。真想不到这么喧闹的街市背后就是威尔逊先生居住的那条冷落的小街。

"瞧哪，"福尔摩斯眺望一排排的商店和办公大楼，说，"那是麦迪默商场，接下去是报馆，法兰西餐馆，麦克法兰大厦，最后是城郊银行柯伯格分行。"

在返家的路上，福尔摩斯陷入了沉思。

"真糟糕，华生，有人在策划一桩阴谋，我们必须制止它。今天是星期六，晚上需要你帮帮忙。"

"什么时候？"

"10点"。

"行。"

"还有，华生，这事有点危险，你把手枪带上。"说着，他径自走了。

到底发生了什么事？我百思不得要领，但是还是决定按照福尔摩斯的吩咐行事。9点15分，我来到贝克街的福尔摩斯住所。刚进门便听见楼上有说话声。福尔摩斯正在跟两个男人交谈。一个叫彼得·琼斯，伦敦警察局的。另一个个头瘦高，看起来忧心忡忡。

"好，都来了，"福尔摩斯说，"华生，来，琼斯先生你大概已经认识，这位是麦利威瑟先生。他今晚与我们一同行动。"

"但愿福尔摩斯先生没弄错，琼斯先生。"麦利威瑟先生说。

"别担心，福尔摩斯先生几乎从来没错过。"琼斯回答。

"谢谢，琼斯先生，我想今晚你可以如愿以偿。将那家伙逮捕归案。"福尔摩斯说。

"就是约翰·克雷，麦利威瑟先生，"琼斯说，"他是个江洋大盗，亡命歹徒，年纪虽然不大，却狡诈多端。他爷爷颇有些声望，所以他以前在一些名牌学校受过教育。我敢肯定这家伙天分很高。我找了他好多年了，一直未找到。"

"我想今晚你会找到的，琼斯先生。"福尔摩斯说，"我同意，这家伙是伦敦最精悍的盗贼之一。好，快10点了，大家出发吧。"

我们在夜幕中赶到早上察看过的那条街，摸到城郊银行门前。麦利威瑟先生引大家从一个侧门走进银行。我们沿一条甬道前行，穿过一个戒备森严的小门，再走下一段长长的石阶，来到第三个门前。麦利威瑟先生打开门上的铁锁，推开门，面前出现了一条黝黑狭长的通道。大家顺着通道小心翼翼地前进，又穿过一道门，来到一间很大的屋子里。屋内摆满了大箱子。

"麦利威瑟先生是城郊银行、全伦敦最大银行之一的总经理。"福尔摩斯这才介绍说。

麦利威瑟先生用手杖敲了敲地面的一块大方石，声调异样地说：

"听起来很响，好像下面被掘空了！"

"嘘，别吱声，"福尔摩斯说，"请坐到箱子上去。"他擎着火把，跪倒在地板上，仔细观察地板上的石块。好几分钟后，他站起来说：

"还得等一会儿，他们要到威尔逊先生入睡之后，才敢动手。麦利威瑟先生，趁这个时间给大家说说为什么伦敦最狡诈的罪犯看中了你的这家银行吧。"

"那是因为我们这儿的法国黄金。"麦利威瑟先生说，"是这样的，两个月前我们从法兰西银行接收了这批黄金，就在这儿，就在这些大箱子内。我们准备几天之内把它们转移到一座更保险的银行仓库去。"

"大家把火把熄了，别让他们看见亮光。那是些穷凶极恶的家伙，得倍加小心才好。我守在这儿，你们都守在那边，我一动手，大家都包围上来。如果他们开枪，华生，你就还击。"福尔摩斯说。

我躲在一只箱子后面，紧握手枪。火把都熄灭了，到处一片漆黑。

"他们只有一个出口，"福尔摩斯又说，"你都安排妥当了吗，琼斯？"

"我已经派了两个警员守候在那儿。"

"很好。大家都不许出声。"

四周静悄悄的，我都可以听见自己的心跳。仿佛过了很久很久，突然，我看见了亮光。起先，从地面一块石板的缝隙中透出一丝非常微弱的光线，渐渐地，光线愈来愈亮，愈来愈明显。接着，那块石板松动起来，一只手推着它，把它缓缓掀翻在地。地板上出现了一个大洞和一只举着火把的手。一张被火光映照的脸孔探了上来，有人在下面把他往上推。跟着，他返过身把下面那个人拉了上来，那人身材短小，长着满脑袋红头发。

"好了，就在这儿。"先上来的家伙说，"啊，不好！快，艾奇，跳下去！快跑！"

福尔摩斯一跃而起，紧紧扼住头一个家伙的颈项。另一个见势不妙，刚想跳下洞口，被琼斯一把揪住衣襟。经过一阵短暂的格斗，两个家伙束手就擒，被戴上了手铐。

"你跑不了了，约翰·克雷，这回总算把你逮住了。"琼斯说。

"果然如此，福尔摩斯先生，您果然是神机妙算。"麦利威瑟先生看着琼斯把两个罪犯带走后，不胜惊异地说，"我真不知道该怎么样感谢您。"

"我等候约翰·克雷已经多时了，麦利威瑟先生。我很高兴我们制止住了英国金融史上一宗最大的盗窃案。"

那天深夜，福尔摩斯向我讲述了他侦破此案的推理过程。

"瞧，华生，事情其实很简单。有人想叫威尔逊先生每天10点到2点期间离开住所。于是克雷设置了一个所谓红发会的骗局。他确实聪明绝顶，在报纸上先刊登一个启事，然后再引诱威尔逊先生。他的那个同伙则在办事处里与威尔逊先生周旋。当威尔逊先生说他雇的一个人只要一半工钱时，我就怀疑里面有文章。威尔逊先生不过是在做小本生意，罪犯看中的显然不是他的买卖，而是他的房屋。

"接着，我又想到了威尔逊先生谈及的斯鲍尔丁的摄影爱好。记得

吗？他说斯鲍尔丁经常大半天泡在楼下的那间小屋里。我就顺便问了问那位斯鲍尔丁先生的相貌特征，发现他就是那位精悍狡诈的罪犯——约翰·克雷。他躲在那间小屋里想干什么？从那儿掘一条地道直通银行。还记得昨天我们去那儿察看的情形吗？我用手杖敲击地面，想弄清楚地道的方位，是前面还是后面。结果不是前面。当他开门时，我没注意他的脸，却注意到了他的膝盖。记得他的裤子吗？膝盖部分磨损得很厉害，证明他跪的时间很长，一直在掘地洞。

"后来，当我们绕着那两条街道察看时，一切都明白了。城郊银行正好背靠威尔逊先生的那间店铺！于是我决定通知琼斯先生和麦利威瑟先生。"

"你怎么知道他们会在今天晚上铤而走险呢？"我问。

"嗯，他们星期六关闭了红发会，是想抓紧时间准备，赶在那批黄金转移之前下手。星期六晚间和星期天银行关门，是最好时机，因此我估计他们会迫不及待，今晚出动。"

"事情看起来挺简单的。"我说。

"是啊，"福尔摩斯说，"正是这许许多多简单的事情构成了生活。"

圆　锥　体

〔英〕H·G·威尔斯

　　黄昏闷热压抑，天边缀着仲夏夕阳的红色云丝。他俩坐在敞开的窗户前，想象远方的空气一定比身边的要清新。花园里的树枝纹丝不动，树丛后面的小路上，一盏煤气灯熠熠闪亮，明灿的橘红色灯光融进傍晚雾蒙蒙的灰蓝色当中。更远处，三盏铁路信号灯在天边闪烁。一个男人和一个女人在悄声低语。

　　"他没怀疑？"男的问，有点紧张。

　　"才不会呢，"她气呼呼地说，仿佛这个问题惹得她满肚子不高兴，"他除了工作除了燃料的价钱什么也不想，没有想象，没有诗意。"

　　"跟铁打交道的人都这样，"他说，一副很深沉的样子，"没有感情。"

　　"他毫无感情。"她说，把那张生气的脸掉向窗户。远处的轰隆声越来越近，越来越响。屋子在响声中颤抖，可以听见煤水车的金属咣当声。火车驶过后，路基上留下一层白色的雾霭，一、二、三、四、五、六、七、八节黑色的长方体——卡车——横穿灰暗的铁轨，忽然在隧道口一辆接一辆地熄了灯。隧道口仿佛一张口就把火车、烟雾和声响全都咽了进去。

　　"这片乡村一度非常美丽清新，"他说，"现在可好了，瞧瞧那边——大锅炉和烟囱把煤灰喷向天空……可这又怎么样呢？末日就要到来，所有这一切的末日……明天。"他充满柔情地说出最后那两个字。

　　"明天。"她说，同样温情似水，仍旧凝视着窗外。

"亲爱的!"他握住她的双手。

她一惊,回过身来,两人四目相对。她含情脉脉地迎候他的凝视。"我的爱人!"她张口说道,"多么奇怪呀——你就这样进入了我的生活——展开——"她稍一停顿。

"展开?"他问。

"展开了一个美妙的世界,"——她犹豫片刻,语调更加温存——"一个爱的世界。"

这时,房门突然吱呀一声关了起来。他俩一齐掉过头,他惊慌地往后退缩。屋子的阴影中,站着一个巨大的人影——一声不响。在半明半暗中,他俩看清了那张脸,浓眉下的一对眼睛毫无表情。洛特全身的每一块肌肉都紧张起来,那门是什么时候打开的?他听见什么了?他全都听见了吗?他又看见了什么?脑袋里全是问号。

经过一段漫长的沉默之后,来人的声音终于响了起来。"嗯?"

"我找不到你,霍洛克斯?"窗子前的男人说,双手紧抓窗框,声音里流露出不安。

霍洛克斯沉重的身影从阴暗中移了出来,他没有理睬洛特,只是一声不吭地站在他们上方。

女人的心冰凉冰凉。

"我对洛特先生说,你可能会回来。"她的声音异常镇定。

霍洛克斯仍旧一言不发,忽然在她的小工作台旁的椅子里坐了下来。他的两只手攥得紧紧的,浓眉下的双眼喷出火苗。他屏住呼吸,目光从他信任的女人身上移向他信任的朋友身上,然后又移回他信任的女人。

就在这一刹那间三个人似乎都明白了什么。然而谁也不敢开口说话缓和这压抑的气氛。

最后还是丈夫的声音打破了沉默。

"你要见我?"他问洛特。

洛特一惊。"我来找你。"他说,决心撒谎撒到底。

"好吧。"霍洛克斯说。

"你答应过，"洛特说，"带我看看月光和蒸汽的景色。"

"我答应过带你看看月光和蒸汽的景色。"霍洛克斯冷冷地重复道。

"我想今晚得在你上班前逮住你，"洛特继续说，"跟你一块去。"

又是一阵沉默。

这人是不是想把这事悄悄了了？他是不是什么都已经知道？他在屋里呆了多长时间？在听到门响的一刹那，两人的姿势……霍洛克斯瞟了一眼女人的侧脸，半明半暗中那脸显得毫无血色。他又瞅了瞅洛特，似乎忽然恢复了神志。"是啊，"他说，"我答应过带你看看这儿的工作情况，怎么就忘了呢。"

"如果不方便的话……"洛特说道。

霍洛克斯心机一动，一丝阴郁迅速闪过他的双眼。"一点没事。"他说。

"你跟洛特先生说起过这儿火光和阴影交替的美妙景色吗？"女人第一次把脸转向丈夫，自信心重又悄悄恢复，只是声音仍比往常稍稍高了一度。"还有你那可怕的理论，说机械是美丽的，除此之外的一切都很丑陋。我想他不会赞同你的观点。洛特先生，这是他的伟大理论，是他对艺术的一项发现。"

"我总是发现得很迟，"霍洛克斯的声音中含着某种不祥，女人内心陡然一惊。"不过一旦发现……"他没再往下说。

"怎么？"她问。

"没什么。"他忽然站立起来。

"我答应过带你去看看工作，"他对洛特说，伸出一只粗大的手拍了拍朋友的肩。"现在去怎么样？"

又是沉默。

每个人都透过昏暗的暮色瞟瞟另外两个人的脸。霍洛克斯的大手仍旧搁在洛特的肩上。洛特以为这终究不过是一桩小事。而霍洛克斯太太却更了解丈夫，明白了他声音里的那份沉着，隐隐约约地感觉到了某种罪恶。

"走吧。"霍洛克斯放下手朝门口走去。

"我的帽子?"洛特在昏暗中环顾左右。

"那是我的针线筐。"霍洛克斯太太爆发出一阵歇斯底里的大笑，两人的手在椅子背后紧紧握住。

"在这!"他说。

她有一种冲动想低声警告他，可是一个字也说不出。"别去!"或者"小心他!"在她脑海里浮现片刻，随即便消失了。

"找到了?"霍洛克斯问，站在半开的门旁。

洛特朝他走过去。

"跟霍洛克斯太太说声再见。"铁器制造商说，声音比适才更加平静。

洛特一愣，转过身去。"晚安，霍洛克斯太太。"说着两人的手又碰了一碰。

霍洛克斯以一种罕有的对待男人的礼貌把门打开。洛特走了出去，紧接着，丈夫无言地瞅了她一眼之后也跟了出去。

丈夫的沉重的脚步和洛特的轻快的脚步像高低音一般一齐通过走廊时，她站着一动也不动。前门重重地响了一下。她慢慢移至窗户前，俯身注视下面。不一会儿，两个男人出现在门口，从路灯下闪过，又没入树枝的阴影中。灯光在他们脸上短暂停留，只见他们面容苍白，毫无血色，却见不到让她感到恐惧和疑虑的任何征兆。

她低下头，坐进一把大椅子，圆睁双眼凝视着天边时隐时现的高炉的火光。一个小时过后她依然这样坐着，姿势几乎没有变动。

傍晚的寂静铅一般沉重地压在洛特心头。他们肩并肩无声地走在大路上，随后无声地拐进煤渣铺就的小道，从这儿可以观赏幽谷的景致。

一条蓝色烟云神秘地掠过狭长的幽谷，在铁轨和一座矮山之间，耸立着属于霍洛克斯所有的一排巨大的圆锥形炼铁高炉。高炉火光冲天，铁水沸腾，炉脚的轧钢机和蒸汽锤轰隆作响，进出的火星此起彼伏。就在他们观看的时候，一卡车燃料被送进了一座高炉的大嘴，顿时红色的火苗四下蔓延，白烟和黑灰直冲云霄。

WORLD-FAMOUS SUSPENSEFUL *STORIES*

"你的高炉的确非常壮观。"洛特打破了变得愈来愈让人心神不安的沉默。

霍洛克斯嗯哼了一声。他两手插在衣兜里，双眉紧皱，似乎对昏暗的铁轨和繁忙的高炉感到很不满意，似乎在思索一个什么难题。

洛特瞅他一眼，又说："月色还未显现，"他抬头望望，"还被残余的日光遮着。"

霍洛克斯回头望望他，仿佛大梦初醒。"残余的日光……对，对。"他也抬头望了望月亮，月亮在仲夏的夜空显得格外苍白。

"走吧。"霍洛克斯忽然说，抓住洛特的胳臂，朝通向铁路的小道移动身子。

洛特犹豫不决。

两人的目光碰到一起，一刹那间相互都明白了几乎就要脱口说出来的万千种念头。霍洛克斯的手先是揪得很紧，而后慢慢放松。没等洛特反应过来，他就挽住对方的胳臂，顺小道往下走。

"看见指向伯斯莱姆的铁路信号灯了吗？"霍洛克斯忽然变得很健谈，同时夹紧对方的胳膊快步向前走去。"红白绿色的小灯泡映着蓝色的雾。你对景色独具眼光，洛特，这个景色不错吧。瞧我那些高炉，越走近就越高大，右边那座是我最喜欢的——有20英尺高，我亲手装修的，已经轰隆轰隆炼了5年铁水了。我特别偏爱它。那条红线看见了吗，洛特？你会称作橘红色，那是搅拌炉，还有那边，火光中的三个黑影子，看见蒸汽锤的白道道了吗？那是轧钢机，走啊！哐当，哐当，哐当，多带劲！薄钢板，洛特——多好的材料。钢板从轧钢机轧出时还未安上玻璃镜。哇！——蒸汽锤又响起来啦。走啊！"

他停住嘴喘了一口气，胳臂紧紧挽住洛特，变得有点麻木。仿佛被什么魔力所驱使，他继续沿着通向铁轨的黑乎乎的小道往前走。洛特一言不发，只是极力想挣脱对方的胳膊。

"我说，霍洛克斯，"洛特神经质地笑笑，哑着嗓门问，"你干吗夹着我的胳臂，这样拽着我往前走？"

霍洛克斯终于松开了他，态度也随之一变。"夹着你的胳臂？"他说道，"对不起。不过这也是你教我用这种难兄难弟的姿势走路的。"

"你可没学会那种风度。"洛特发出一阵假假的笑。

"是吗？我已经受够了。"霍洛克斯毫无悔意。

他们现在来到山脚，站在铁路的护栏前面。高炉近在眼前，如同一个个庞然大物。前方竖着一块招牌，昏暗中隐约可以看清几个污渍斑斑的字："小心火车"。

"好景色啊，"霍洛克斯挥舞着胳膊，"有列火车开过来啦，白色的烟，橙色的光，火车头前圆圆的眼，还有轰隆轰隆的车轮声，多好的景色啊！在炉口盖上圆锥罩之前，高炉还要好看。"

"等等，"洛特问，"圆锥罩？"

"圆锥罩，伙计，圆锥罩。我会带你去近处看看。火苗原先从张开的炉口窜出，好大的火啊——怎么说呢，白天像通天的云柱，黑烟和红光冲天而去，夜晚像腾起的火龙。现在套上了管子，用它来加热鼓风机，顶部用圆锥罩盖上了。你一定会对圆锥罩感兴趣。"

"可是，"洛特说，"它还是不时冒出火苗和黑烟来啊。"

"圆锥罩没有固定，用一根与杠杆相连的链条拴住，由平衡器保持平衡。你可以到近处看看。这是填充燃料的惟一办法。每次放下圆锥罩，火苗就腾空而起。"

"噢。"洛特说着，仰头瞧瞧天空。"月亮更亮了。"

"走吧。"霍洛克斯又捉住他的手臂，朝铁轨交叉处走去。这时出现了一件意想不到的事，事情突如其来，两人都茫然无措。走到一半时，霍洛克斯的手突然像一柄铁钳将对方牢牢抓住，猛地往后一拉，然后半转身体看着上方的铁轨。不远处一串亮灯的窗户迅速逼近，闪着红黄灯光的火车头愈来愈大，朝他们俯冲下来。洛特猛然意识到即将发生什么，朝霍洛克斯掉过脸，拼足全力想挣开将他拉至铁道中央的那只胳膊。挣扎并未持续几秒钟，霍洛克斯发觉情况不对，一把将对方拉离险境。

"快走开！"霍洛克斯喘息着说，火车哐当哐当轰然而至。

两人都气喘吁吁地站在炼铁厂的大门口。

WORLD-FAMOUS SUSPENSEFUL *STORIES*

"我没看见。"洛特说，装出一场虚惊的样子。

霍洛克斯嗯哼一声，算是答复。"圆锥罩，"他说，好像大梦方醒的模样，"我想你没听见我说话。"

"是没听见。"

"我不能让你就这样完了。"霍洛克斯说。

"我一时有点发愣。"

霍洛克斯沉思了一会儿，转身面朝炼铁厂。"瞧，我的这些圆锥罩，这些煤堆，在夜晚看起来多么漂亮啊！看那边那辆卡车，在倾倒矿渣，看那些通红的煤渣，顺斜坡滚落下去。越往前走，煤渣就堆得越高，连鼓风炉都被挡住。看那个大家伙的顶部，不是那边，这边，矿渣中间。那是搅拌炉。还是先带你看看水槽吧。"

他挽住洛特的手肘，两人比肩而行。洛特偶尔心不在焉地回答霍洛克斯几句话。他暗自思忖，铁轨上究竟是怎么回事？是自己弄错了，还是霍洛克斯确实把自己推向了火车？自己是不是差点儿被他谋害？

看来这个窝窝囊囊的家伙确实知道了一些什么事情，有那么一两分钟洛特很为自己的性命担忧，不过随后他又把握住了自己的情绪。反正霍洛克斯什么也没听见。不管怎么说，他及时救了自己一把。这种古怪的举动不过是出于嫉妒而已。这种嫉妒他以前就曾经有所流露。他现在又在谈起灰堆和水槽。

"瞧啊！"霍洛克斯说。

"什么？真的！多漂亮的月色！"

"水槽，月光下和高炉旁的水槽是一大景观。以前看到过吗？没有吧。你的夜晚都用来在纽卡瑟尔泡女人了。告诉你吧，还有更漂亮的景色——很快就能看到。滚烫的水……"

他两刚一走出废渣、煤堆和矿石垒成的迷宫，轧钢机的轰鸣声就迎面扑来，震耳欲聋。三个黑乎乎的工人走到霍洛克斯面前，伸手摸了摸帽檐。他们的脸在黑暗中看不清楚。洛特觉得应该与他们打打招呼，可是还未等他想好词句，那些人又回到了阴影中去。

霍洛克斯指了指跟前的水槽。这是一个看上去很奇怪的地方，水中荡漾着高炉血红色的倒影。滚烫的冷却水从这儿流过，水面上冒着缕缕白色的雾气。洛特赶紧退离几步，看着霍洛克斯。

"这儿是红色，"霍洛克斯说，"赤热的雾气像罪恶一样血红；到了那边呢，月光笼罩的地方，又变得如死神一般苍白。"

洛特扭头看看，又迟疑着把目光掉回霍洛克斯身上。

"去滚轧机那儿瞧瞧。"霍洛克斯说。这一次的推拉动作不那么吓人，洛特稍稍松了一口气。可是霍洛克斯为什么说"如死神一般苍白"和"像罪恶一样血红"呢？只是巧合，也许。

他们在搅拌炉的后面停留了一会儿，然后走进一台台滚轧机之中，伴随着永无止境的轰鸣声，蒸汽锤从容不迫地敲打着通红的铁条。

"往前走，"霍洛克斯凑近洛特的耳朵大叫。他们走了几步，挨近鼓风口背后的一个小玻璃孔往里瞧，看见烈焰在炉膛里翻腾，那只眼睛一时感到无法适应。周围的黑暗中闪烁着蓝色的和绿色的光点，他们走进升降机。装满煤块和矿石的卡车就是从这儿被送至巨大的圆锥罩的顶部的。

洛特紧紧抓住高炉上方的铁栏杆，不禁又疑虑起来。待在这儿是否明智？万一霍洛克斯什么都已知道了呢？他禁不住一阵颤抖。脚下距地面有70英尺，危险极啦。

"这就是我跟你说过的圆锥罩，"霍洛克斯大声喊道，"下面就是火焰和熔化的铁水，泛着泡沫像苏打水一样。"

洛特紧紧抓住扶手，朝下面的圆锥体看了一眼。热浪逼人，铁水沸腾。不过危险已经过去，也许……

"中间的温度，"霍洛克斯叫道，"将近1000度，如果你掉进去……就像撒进去一撮火药，嘶的一下就没啦。伸出手去摸摸它的呼吸，瞧啊，在这儿就能看见卡车上的水在蒸发。瞧瞧那圆锥体，烤馅饼都嫌太烫，它的表面就有300度……"

"300度？"洛特问。

"300摄氏度，记住！"霍洛克斯说，"它一下子就可以把你的血烘干。"

"什么？"洛特退后一步。

"把你的血烘干……不，你跑不了！"

"放开我！"洛特大叫，"放开我的手！"

他先是用一只手紧抓栏杆，然后两只手都抓了上去。两个男人扭来扭去。忽然霍洛克斯猛地一拽，把他揪了出来。他企图抓住霍洛克斯，但未能成功，两脚反而悬在了空中。他在空中一阵乱蹬，随后脸、肩和膝盖都撞到了滚烫的圆锥体上。

他去抓拴住圆锥体的铁索，刚一碰上整个圆锥体就晃动起来，火舌卷着燃烧的赤色粉尘直窜而出，闪着亮点朝他逼来。膝盖上一阵剧痛，紧接着便闻到了手掌被烧煳的焦肉味。

他立起来想去攀爬那条铁索，可是被什么东西击中了脑袋。高炉的炉口朝他升了起来，在月光下显得黑乎乎的，且又闪着火光。

他看见霍洛克斯站在他上方一辆满载燃料的卡车旁。那个手舞足蹈的人儿在月光下看起来那么苍白，不住地喊道："叫啊，你这头蠢猪！叫啊，叫啊，你这个专搞女人的家伙！好色的杂种！烧死你！烧死你！烧死你！"

他忽然从卡车上抓起一把煤，一块接一块地朝洛特砸去。

"霍洛克斯！"洛特惨叫，"霍洛克斯！"

洛特死命抓住铁链，让自己的身体悬离滚烫的圆锥体。霍洛克斯扔出的煤块每次击中他，他的衣服就燃烧起来化成炭灰。他正在挣扎之际，圆锥体降落下去，紧接着冲出一股令人窒息的气浪，游动的火舌迅速将他舔食。

他的人形一瞬间便消失了，等到红光散尽，霍洛克斯看见一个黑乎乎的燃烧的影儿，脑袋上残留着血污，仍旧在铁链上蠕动——像一只烧焦的小动物，一个畸形的生灵，不时发出哽咽和惨叫。

看着这一切，铁器制造商的怒气忽然消失殆尽。一阵非常不舒服的感觉漫上心头。焦肉的味道吹进他的鼻子里，促使他恢复了理智。

"主啊，饶恕我！"他叫道，"哦，上帝！我干了什么啦？"

他明白下面那个还在蠕动的东西是个正在死去的男人——鲜血正在

那个可怜人的脉管里嘶嘶沸腾。痛苦涌了上来，压倒了所有其他的感觉。他茫然无措地站在那里，之后又转身爬上卡车，犹豫着将整车燃料倒向那个一度是个男人的蠕动的东西。燃料轰地一声直泻而下，灿烂的火光笼罩了整个圆锥体。随着那声轰响，惨叫声不再响起，青烟、粉尘和火焰都朝他升腾起来。等到一切过去之后，圆锥体重又恢复了往日的形象。

他步履蹒跚地往回走，双腿发软，两手紧紧抓住铁栏杆，嘴唇哆嗦着，但是什么也说不出来。

下面传来叫喊声和急促的脚步声。车间里轧钢机的哐当声突然停了下来。

侏 儒

[美] 雷·布雷德伯里

爱弥落寞地眺望长空。

这是一个万籁俱寂的盛夏的黄昏。海堤上一片迷濛，红黄白交错的小灯泡在木栏外荧荧闪亮，如同一只只萤火虫。游艺场里的值班人员都睁着眼睛，茫然守候在各自的岗位上，像是玻璃橱窗里的蜡人儿，谁也不作声。

有两个游客已经在里面兜转了一个小时。此时他们孤零零地待在滑翔车里，开始凶狠地争吵起来。吵闹声划破夜空，在寂寥中回荡。

爱弥慢慢跨越绳索，几只木制套环触到了她湿润的小手。她来到售票处。前面是哈哈馆。哈哈馆面前的过道上有三块镜面不匀的玻璃镜。她看见自己被严重歪曲的形象。成千成万个疲倦的她在过道上闪现出来。清晰的镜子竟收藏了这么多怪异的幻影。

她踮脚走进售票处，久久凝望拉尔夫·班哈特的瘦长颈脖。他的长而不齐整的黄牙叼着一支没点火的香烟。他似乎正在票桌上玩单人纸牌。

直到滑翔车重又响起吓人的隆隆低吼，她才想起说话。

"坐滑翔车的是些什么人啊？"

"想死的人。滑翔车最方便啦。"他侧耳听了听射击馆传来的来复枪声。"这当儿该死的游乐生意准得把人都弄疯不成。就说那矮子，你见过他吗？每天晚上都花一角钱钻到路易斯变形房瞎转悠。你等一下就会见到那矮子往这儿来。唉。"

"嗯，对了，"爱弥若有所思地说，"我时常揣测矮人是怎么生活的。看见他我心里就不好受。"

"我可以把他逗得转圈儿。"

"别这样。"

"咳，"他伸出一只手抚摩她的大腿，"你从来就不会戏弄那些傻家伙，"他晃动着脑袋瓜，嘻嘻一笑，"他有啥心事我都清楚，哈，不简单吧！"

"今晚真热。"她的湿手指神经质地弹弄木制套环。

"别打岔儿，他反正得来。"

爱弥移动了一下身子。

拉尔夫一把抓住她的胳膊。"咦，你怎么啦？你不是想见那矮子吗？喏，他来啦。"

一只浓毛黝黑的手，握着一枚一角的银币，伸进售票窗口。一个看不见的人叫道："一张！"声音尖细而稚气。

爱弥不大情愿地低俯下身子。

侏儒仰脸望她。这是一个黑眼睛黑头发的丑陋男人，好像被榨酱机绞榨过似的又枯又小。你如果在凌晨两三点钟梦见他那张浮肿的面孔，一定会骤然惊醒，在被窝里缩紧身体直至东方发白。

拉尔夫撕下半张黄色票券，"一张。"

仿佛暴风雨就要降临似的，侏儒翻竖起黑色的外套衣领，盖住喉头，一步三摇地迅速走了。顷刻间，过道上闪现出成千上万个蠕动的侏儒，像是一大群发狂的黑色甲壳虫，随后一切又消失了。

"快！"

拉尔夫把爱弥推进镜子后面一条昏黑的走廊。她被他带过走廊，来到一面有个小孔的隔板前。

"真好看，"他窃笑，"好啦，你看。"

爱弥勉强把脸凑近隔板。

"看见了吗？"拉尔夫悄声问。

爱弥感到自己的心狂跳起来。足足一分钟过去了。

侏儒站在蓝色小房的中央。他微闭双眼，还不想睁看。瞧啊，他张开了眼睛了，直瞪面前那块巨大的镜子。镜子里的映像使他欢喜不已。只见他先眨巴一下眼睛，然后踮起脚尖，接着侧身，扬手，鞠躬，最后笨拙地跳了几步舞。

大镜里则相应映照出一个眨着大眼迈着巨大舞步的高大身躯和一双又细又长的胳膊，最后还有大大咧咧的一鞠躬！

"每天晚上都是老一套。"拉尔夫挨近爱弥说，"好看吗？"

爱弥扭过头，怔怔地望着拉尔夫，良久，缄默无语。似乎无法抑制住自己，她又非常非常缓慢地转回头，再一次朝里面窥觑。她屏住气息，感觉到自己的双眼涌出了泪水。

拉尔夫轻推她，低声问：

"嗨，那矮东西现在干啥啦？"

过了半小时，侏儒从房间里出来时，他俩正在售票房内喝咖啡。他取下便帽拿在手上，看见爱弥便赶紧离开了。

"他需要些什么。"她说。

"是呵，"拉尔夫搓碎烟蒂，懒洋洋地说，"我也知道这么回事。但他没胆量提出来。有天晚上他用那尖声尖气的小嗓门说：'我敢打赌这镜子很贵。'对啊，我装作傻乎乎地说是很贵。他盯了我老半天，我啥话也没多说半句。于是他就回家去了。谁知第二天晚上他又说：'我敢打赌这镜子值五十元到一百元。'我说自己也这样想。后来我就玩牌去啦。"

"拉尔夫！"

"你干吗这样瞪我？"

"拉尔夫，你为啥不把多余的镜子卖一块给他呢？"

"看哪，爱弥。我教你扔套环好么？"

"那一块镜子值多少钱？"

"我买转手货是三十五块。"

"那你干吗不告诉他在哪儿买的呢？"

"那你就不聪明啦，爱弥，"他把手搭在她的膝盖上，她把膝盖挪开。"就算我告诉他到哪儿去买，你以为他就会去买吗？这辈子甭想。为什么呢？他这是自我安慰。如果他知道当他面朝路易斯变形房的那面大镜挤眉弄眼时，有人在偷看，他就再也不会来了。跟其他人一样，他不过是想透过哈哈镜得到弥补。他装作对那间房并不特别热心，一旦倒霉的时候就跑来占卜，这样他就独自占有了它。谁也不知道运气好时他上哪儿去溜达。不会的，伙计，他不会买镜子。他没有朋友，就算有吧，他也不会叫旁人为他买这样一个玩意，这是孤傲。那么他为什么又向我问起这个？那是因为在这个世界上他只认识我。此外，瞧瞧他那副窝囊相——他也买不起那样的镜子。他当然可以攒钱，但是在今天这个鬼世界上哪儿有矮子赚钱的地方？是去贩毒还是去马戏团当小丑？"

"我感到害怕，难过。"爱弥望着空旷的木砖走道发愣。"他住在哪儿？"

"转过去的河边，甘萨姆斯。问这干啥？"

"跟你说吧，我强烈地爱上他了。"

他口叼香烟笑起来。"你这玩笑真逗，爱弥。"

过了一个暖洋洋的夜晚，又过了一个炎热的上午和一个火辣辣的中午。大海宛如一块缀满闪光银器的绸缎。

游乐场外靠近海滨的小路上，爱弥顺着树阴走来。她的胳膊下夹了几本杂志，在阳光下忽闪忽闪的。她推开油漆斑驳的小门，朝闷热暗黑的屋子里唤道："拉尔夫？"然后走过镜子后面漆黑的走廊，鞋跟嗒嗒作响。"拉尔夫？"

有人懒懒地从帆布吊床上爬起来。"爱弥？"

他直起身子，拧亮桌子上一个光线很弱的灯泡，睡意惺忪地瞟了她一眼，说："啊哈，你像刚吃了金丝雀的小猫。"

"拉尔夫，我来跟你谈谈那个矮人的事。"

"矮人，哈，爱弥心肝儿。你是说矮子。矮人是细胞养的，矮子是松籽儿……"

"拉尔夫，我刚刚发现他很不寻常哪！"

"天啊，"他舒展双臂，"这女人是怎么啦！鬼还记得那浑小子。"

"拉尔夫！"她取出杂志，两眼发亮，"他是作家，没想到吧！"

"这天热得头昏啦。"他往后一靠，望着她无奈地一笑。

"我刚才路过甘萨姆斯，遇见格里利先生，就是那个管事，他说比格先生①房里的打字机彻夜都响个不停。"

"那是他的名字？"他忍不住大笑起来。

"他就靠为通俗刊物撰写侦探小说为生。我在旧杂志摊找到了他的一篇小说。拉尔夫，你猜猜看他写的是什么？"

"我困得很，爱弥。"

"那小不点儿比外面所有的人都聪明，他脑瓜里什么都有。"

"那么我问你，他为啥不给大杂志投稿？"

"可能他不敢，也可能他不知道自己有这种才能。这完全可能，人常常不够自信。如果他试一试，我打赌世界上任何地方都会要他写的小说。"

"那他怎么会没钱呢？我不懂啦。"

"也许他的思路很慢，因为他很忧郁。谁能体会得到呢？他长得那样小。除非你也变得那样小，躲在一间租金低廉的房子里，否则你怎么能想象得出来呢。"

"行啦，"拉尔夫哼道，"你真像佛罗伦萨·南丁格尔②。"

她翻开杂志。"我念几段他写的谋杀故事给你听听。这是描述持枪歹徒的故事，是由一个矮人叙说的。我打赌编者绝不会想到作者也是一个矮人。喂，别那样坐，拉尔夫，听我念。"

于是她开始大声念起来。

"我是一个侏儒，也是一个杀人犯，两者紧密相连，不可分离。

"我干掉的这个家伙曾经在我二十一岁的时候，当众在大街上拦截侮辱我。他把我拎起来，亲我的额头，对我粗野地哼唱摇篮催眠曲，又

---

① 比格先生英文为Mr.Big，意为"大先生"。

② 佛罗伦萨·南丁格尔(1820—1910)，英国护士，参加克里米亚战争后创办了世界第一家护理学校。

把我强拽到肉摊，扔进肉秤，喊道："看啊，卖肉的，还没你的大拇指头重！'

"你知道我是怎样变成杀人凶犯的吗，蠢货？你这灵与肉的虐待狂！

"我的童年是这样度过的：那时候，我父母个子都很小，但绝不是侏儒，绝不是。我父亲把我们安置在一栋玩具似的楼房内，它就像一块洁白的婚宴蛋糕——小房间，小椅子，微型画片，微型雕塑，镶嵌有小虫子的小琥珀，所有一切都是那么小，那么小。巨人世界离开我们十分遥远，像是花园围墙外边讨厌的谣传。可怜的爸爸妈妈，他们以为这是庇护我的惟一办法。他们就像保管一件小巧精致的瓷瓶那样，把我安放在这片蚂蚁世界，蜜蜂王国，显微镜下的书室和由甲虫般大的、门蛀虫般小的用窗构成的狭小空间里。直到现在我才开始明白，我的父母犯了一个多么巨大的错误！他们一定以为自己可以长生不老，可以永远小心翼翼地看护我，就像看护玻璃罩里的一只花蝴蝶似的。可是，首先是父亲死了，接踵而来的一场大火吞噬了我们的蜂巢和蜂巢里所有邮票大小的镜子，壁橱里的盐瓶。妈妈也离开了！只剩下我一个人，刚刚告别那片废墟，就被抛到这个怪物们的世界上，被现实的强力连推带扯地撺到社会的最底层。

"整整一年过去以后，我才适应了这种生活。到马戏班子去挣钱是不堪回味的。这世界似乎没有我的一块栖身之地。就在这时，大约一个月前，这个虐待狂又闯入了我的生活。他把一顶无檐女帽忽然罩在我脑袋上，还对朋友喊道：'我让你们见识见识这小女人！'"

爱弥停住了，两眼晶莹，把杂志抖抖瑟瑟地递向拉尔夫。"你念念，接下去就是那段凶杀故事，写得很好。你想得到吗？这就是那个小不点儿写的，那个小不点儿。"

拉尔夫撇开杂志，慢悠悠地点燃香烟。"我更喜欢西部小说。"

"拉尔夫，你念念。他需要一个人跟他说他有多棒，应当继续写下去。"

拉尔夫歪斜脑袋瞅她。"谁去说呢？好啦，我们又不是耶稣基督的圣使。"

"我不要听这个！"

"想一想吧，真见鬼，你去跟他胡闹，他就会以为你是在爱怜他，他就会歇斯底里地纠缠你。"

她坐下来，左思右想。"我不知道。也许你是对的。哦，这不是爱怜，说真的，拉尔夫。但他兴许会这样想。我得谨慎一点才是。"

他用指头轻捏她的脖子，一边推晃一边说："嗨，忘了他吧，都怪我多嘴。这只能使你心绪不定，天呐，爱弥，我还没见你对什么事情这么认真过。好了，我们来核计一下，过个像样的日子，吃顿早饭，弄点汽油，开车到老远老远的海滩去游泳，在那边吃晚饭，再上附近哪座小镇看场好电影——尽情地玩他妈一天吧。怎么样？痛痛快快，无忧无虑，我攒了十几块钱啦！"

"这是因为我知道他与众不同，"她望着黑暗的角落说，"这是因为无论你我还是这码头边的其余任何人都永远不会变成他那样的人。这真荒唐，真荒唐。生活注定他虽然活在人间，却只能当马戏演员。生活虽然没有迫使我们去演马戏，而我们却待在滨海的这个游乐场里。两者似乎相距千里，这是怎么回事，拉尔夫？我们具有的只是身体，他具有的却是头脑，他思索的东西我们连做梦都想不出来啊。"

"你不听我的！"

她端坐着，他站在她身后。他的话音很遥远。她低垂双眼，两手在膝头上摩挲。

"我不喜欢你那越来越多的名堂。"他又说。

她慢慢地掏出钱包，从那里抽出一小叠钞票数起来。"35、40块。我要打个电话给比利·法因，叫他把那种大号的镜子送一块到甘萨姆斯的比格先生那里。是的，我要这样做。"

"什么？"

"你想想，拉尔夫，他在自己房里有这样一块大镜，随时都可以照，那该多好哇。我能用用电话吗？"

"用吧，疯啦！"

拉尔夫立即转身走进走廊，房门"砰"地响了一下。

　　过了一会，爱弥开始痛苦而缓慢地拨电话。她屏住呼吸，闭上双眼，一边拨，一边想：这似乎只是一件小事，不过，送去一块特殊的玻璃镜，可以把它置在你赖以藏身的屋子里，明亮地映出你那高大的身影，你就可以不停地写你的故事，再也不用理睬这个世界了。它将为你提供无数奇幻的想象。这会使你快乐还是悲哀？这对你的写作是有益还是有害？她双眉紧蹙，再三思索。至少，这样你再也不会遭人蔑视了吧。日复一日，甚至在春寒料峭的黎明时分，你都可以悄然起身，对着这块明亮的大镜举手投足，欣然欢笑，独自欣赏自己那魁伟的身躯。

　　电话里传来声音："我是比利·法因。"

　　"啊，比利！"她不禁叫起来。

　　夜幕笼罩海堤，海面昏黑，涛声喧器。拉尔夫像一尊冷漠的蜡像，坐在玻璃棺枢中玩弄纸牌。他目光迟滞，嘴唇绷紧，手肘旁金字塔般堆成的烟灰越聚越高。爱弥沿着红红绿绿的灯泡袅袅走来，微笑着朝他扬手。他丝毫不为所动，仍旧不紧不慢地出牌。

　　"嗨，拉尔夫！"

　　"那件好事怎么样了啊？"他捧起一只脏杯子边喝冰水边问。

　　"我刚买了一顶新帽子。"她笑盈盈地说，"噢，我感觉很好，你知道怎么啦？比利·法因答应明天送镜子去！你见到那小乖乖了吗？"

　　"我可没那么想入非非。"

　　"哦，上帝，你一定以为我想嫁给他。"

　　"怎么不可以呢？把他装进一只提包里，人家问：'你丈夫在哪儿？'你就打开提包说，'瞧，他在这！'活像个小银喇叭。再把他拎出来，哼两支曲子，然后又藏好。只要在门背后给他留个纸盒就行啦。"

　　"我感觉很好。"

　　"这是慈悲，"拉尔夫没望她，抿着嘴巴说，"慈悲。这都是我从那个鬼洞偷看他惹出来的麻烦。寻求刺激？你还要送镜子给他？你这样的人就喜欢听见鼓声便跳舞，把我折腾够啦。"

　　"你要是老这样，我再也不来喝冷饮了。我宁可自己玩，也不搭理小气鬼。"

拉尔夫长叹一声："爱弥，好爱弥，你应当明白你救不了他。他是侏儒。你这种举动无非是对他说，别泄气啊，伙计，我会帮你的。"

"人在一生中能够做点对他人有益的傻事是值得的。"

"基督没教我去拯救别人，爱弥。"

"别说了，别说了。"她叫道，而后又缄默无语。

过了好长一阵子，他站起来，搁下沾满指痕的杯子，说："帮我照看一下行吗？"

"当然行。你上哪儿去？"

她瞥见他那苍白冷漠的影子在走道两侧的镜子里成千上万次地晃过，嘴巴紧闭，手指痉挛。

她坐着，等了一分钟，忽然感到惶惑。售票房里一只小摆钟嘀嗒嘀嗒在走。她拿过纸牌，一面一张一张乱掷，一面期待着。过了一会她听见哈哈馆里传出一阵一阵的铁锤敲击声。沉默，期待，终于成千上万个幻影又重重叠叠显现了，拉尔夫大步走来。她听见他在拐弯时在吃吃地窃笑。

"喂，什么事逗你这样高兴？"她疑窦顿起。

"爱弥，"他漫不经心地说，"我们甭吵了。你说明天比利要给比格先生送镜子？"

"你不会弄恶作剧吧？"

"我？"他摞开她，接过纸牌，两眼发亮，哼哼哈哈地说，"不是我，不，不是我。"他避开她的目光，动作敏捷地开始哗啦哗啦洗牌。她站在他身后，感到自己的右眼晃了几下。她盘起胳膊，又放松开去。一分钟过去了，只听见海潮在海堤下的拍击声，拉尔夫的呵欠声和纸牌滑动的窸窣声。海堤上阴云密布，远处亮起了微弱的灯光。

"拉尔夫。"她终于开腔说。

"放心，爱弥。"

"你不是说要到海滩去……"

"明天，或者下个月，或者明年，老拉尔夫耐性很好，不着急。爱弥，你瞧，"他伸出一只手，"我很冷静。"

她待大海深处的闷雷遁去后，说：

"我只希望你别使坏心眼，我只希望别发生什么意外。答应我，拉尔夫。"

海风裹着潮气一阵暖一阵凉地吹拂海堤。小钟嘀嗒嘀嗒响着。爱弥热得出了汗。她注视一张一张翻来覆去的纸牌。不远处可以隐约听见射击馆传出的子弹击中枪靶的撞击声。

这时，他来了。

他步履蹒跚地穿过阒无人迹的场院，每移动一步似乎都要费很大的劲。灯光下他的容貌暗黑扭曲。在他顺着海堤上那段不短的路趑趄前行的时候，爱弥一直在关注他。她想告诉他：这是你最后一个晚上，是最后一次艰难地到这儿来了。也是你最后一次在拉尔夫面前暴露自己的隐秘。她很想当着拉尔夫的面笑起来，但终于克制住了。

"喂，喂，"拉尔夫吼道，"今晚免费开放，优待老主顾！"

侏儒诧异地抬起头，两只眼睛望来望去，现出一副迷惘不解的样子。他的嘴巴嗫嚅一动，好像在表示感谢，随后便转过身，一只手把外套的小衣领翻竖起来，捂住颈喉，另一只手悄悄地攥紧了那枚银币。他稍稍颔首，走进哈哈馆。过道两侧映出了无数张枯瘦神伤的面孔。

"拉尔夫，"爱弥抓住他的手腕，"怎么回事？"

他嘻嘻哈哈地说："我发慈悲了，爱弥，慈悲。"

"拉尔夫！"

"嘘，你听。"

他们在闷热的售票房内久久地聆听、等待。

突然传来一阵凄厉的尖叫。

"拉尔夫！"

"你听，你听！"

紧接着是一阵惨叫，又一阵惨叫，又一阵惨叫，中间还夹杂了碰撞声、敲打声和破碎声，哈哈馆里一阵骚动。跟着比格先生狂怒地蹦跳出来，神经质地嚎叫着，啜泣着，泪渍满面，嘴巴大张。他闯进万点萤火的夜幕里，愤怒地四处张望了一会，一边恸哭，一边朝海堤奔跑。

"拉尔夫，发生了什么事？"

拉尔夫一边嚎笑，一边拍自己的大腿。

她猛掴一下他的脸，"你干什么了？"

他止不住地还在哈哈大笑，"来，来，你来看。"

她迅速走进哈哈馆。她瞥见自己好像是一个神经质的女人，紧跟在一位一边咧嘴发笑，一边快步前行的男人后面，鲜红的嘴唇在一面面银色的镜子里匆匆闪过。"来啊！"他叫道。于是他们拥进那间小房。

"拉尔夫！"

两人来到一年来侏儒每晚必过的门槛前，站在侏儒每天都要凝视的奇异的大镜子前。

爱弥轻步移进光线暗淡的房子，一只手扶住门框。

镜子被调换过了。

这面新镜子把正常人缩得很小，很小。身高体大的人在它面前变得又矮又黑，愈是靠前就愈小愈黑。

爱弥站在它面前，心想：个子大的人在这都变得这么渺小，天哪，何况一个侏儒，一个小侏儒，一个黑侏儒，一个蹒跚而孤独的侏儒呢？

她掉转了身，差点眩晕过去。拉尔夫站在一旁望着她。

"拉尔夫，天哪，你怎么干出这等事。"

"爱弥，我们走吧！"

她穿过走道跑到馆外，失声哭了起来。她含着眼泪来到海堤上，跑了一会儿，又跑了一会儿，然后停住脚。拉尔夫跟在后面搭讪着试图对她说什么，他的声音仿佛是黄昏时篱墙外的细语，遥远而陌生。

"别对我说话。"她说。

有人向海堤奔过来，那是射击馆的凯里先生。"喂，你们刚才见到一个小家伙吗？那小鬼头在我那儿偷了一把手枪，装上子弹跑啦。我一把没抓住他。快帮我找找！"

凯里一边跑，一边搜寻红黄蓝灯光下的帆布帐篷。

爱弥走了两步。

"爱弥，你上哪儿去？"

她瞧着他，似乎他们刚刚才认识，是两位邂逅相遇的路人。"我想我应该去找找。"

"你帮不了什么忙。"

"我得去试试。天啊，拉尔夫，这都是我的错！我不应当给比利·法因通电话！我不应当定购那块镜子，以致你竟然做出这等疯狂的事情！我要对他说，我不是在有意伤害他。我得找到他，这是我所能做的最后一件事了。"

她缓步往回走，两颊淌满了泪水。她望见哈哈馆前幻影纷乱的镜子里，映出了拉尔夫的影子。她张开嘴，恍若陷入了一场冷酷而惊心动魄的幻梦当中。

"爱弥，到底怎么啦？你这是……"

他尾随她身后。对事态的发展茫然不知所措。他睁大双眼。

他在镜子前皱紧了眉头。

霎时，一个令人厌恶的奇丑的小男人，高约两尺许，旧草帽下一张惨白的扁脸，愁眉苦脸地出现在镜子里。拉尔夫双手下垂，吃惊地看着自己。

爱弥缓缓地走着，越走越快，后来急跑起来。她沿着寂静的海堤一直奔跑，暖风裹挟大粒的雨珠飘泼下来，不住地扑打在她身上。

碗底的果子

[美] 雷·布雷德伯里

威廉·艾克顿站了起来。壁炉上的钟在午夜时分滴答作响。

他看看自己的手指，看看周围的巨大房间，又看看躺在地上的那个人。威廉·艾克顿的手指摸过打字机的键盘，做过爱，煎过早餐吃的火腿和鸡蛋，而现在由于这十只同样的手指，他却成了杀人犯。

他从来不认为自己是个雕塑家，可是现在，看看横在光滑的硬木地板上的那具尸身，他意识到自己用某种雕塑手法重塑了那个叫唐纳·赫克斯黎的男人，改变了他的躯壳和外观。

就是用这几只手指，他抹掉了赫克斯黎眼里的最后一线光亮，将麻木和冰冷装进他的眼窝。粉色敏感的嘴唇张开着，露出里面的犬齿，黄牙和镀金的假牙。鼻子一度也是粉色的，现在则伤痕累累，像耳朵一样苍白。赫克斯黎的双手摊在地上，像是在向上苍发出呼吁。

是啊，这景象挺美，赫克斯黎完全变了个模样。死亡使他变得更加潇洒。你现在跟他说什么都可以，他保证会听。

威廉·艾克顿看着自己的手指头。

事情做到如此地步，他已无力挽回。有人听见了吗？他侧耳谛听。外边，街上如往常一般响着深夜的汽车声。没有敲门声，没有撬门声，没有谁想进来。谋杀，或者说把人由热变冷的艺术加工过程，在人不知鬼不觉的情况下悄悄完成了。

现在怎么办？时钟在午夜时分滴答作响。本能催迫他往门口走，跑，狂奔，逃窜，再也别回来，爬火车，拦汽车，或者步行，离开这鬼地方远远的！

他举起手在眼前翻过来，翻过去。

他若有所思地缓缓将它们翻转过来；感觉到它们像羽毛一样轻。为什么这样盯着它们？他自问。难道就因为它们成功地掐死了一个人，就值得这样一遍又一遍地查看。

这是一双普普通通的手。不肥，不瘦，不长，不短；汗毛不多，也不少；指甲未修，但不脏；不软，不硬，不粗糙，也不光滑；不是杀人的手，但也并非无辜。他似乎越看越有意思。

他感兴趣的不是这双手，也不是手指。在经历了一场搏斗之后，他惟一感兴趣的是自己手指的指尖。

壁炉上的时钟滴答滴答地走着。

他跪在赫克斯黎的尸体旁，从赫克斯黎的衣袋里掏出一块手帕，小心翼翼地擦拭赫克斯黎的咽喉。他轻轻地按揉咽喉，又用劲擦了他的脸和脖子，然后站立起来。

他看看对方的咽喉，又看看光亮的地板。他慢慢弯下腰，用手帕轻抹了几下地板，之后皱了皱眉头，细擦起来。先擦尸体的头部附近，继而是胳膊周围，后来索性把尸体四周都抹了一遍。先抹了尸体四周一码的地方，然后是两码的地方，再接着是三码，再接着——

他停住了。

就在这一刹那间他环顾了整座屋子：客厅里的大镜子，雕花的门，还有精致的家具。一个小时前他与赫克斯黎谈话的情景历历在目。

用手指头摁响了赫克斯黎家的门铃。赫克斯黎出来开门。

"啊！"赫克斯黎大惊，"是你，艾克顿？"

"我妻子在哪儿，赫克斯黎？"

"你以为我真会告诉你吗？别站在那儿，你这白痴。如果想谈正经事，进来吧。从那个门进来，那儿，到书房里来。"

艾克顿摸了书房的门。

"喝吗？"

"来点吧。真不敢相信莉莉走了，她——"

"勃艮地葡萄酒，艾克顿，去酒柜那儿拿吧。"

是的，他拿了，端了，摸了。

"这是第一版的，艾克顿，瞧这装帧，你摸摸看。"

"我不是来看书的，我——"

他摸了书和书房里的桌子，还摸了勃艮地葡萄酒酒瓶和酒杯。

此时他抓着手帕，蹲在赫克斯黎冰凉的尸体旁，一动不动地瞧着屋子、墙壁和身旁的家具，为自己忽然意识到的一切而目瞪口呆。他闭上眼，垂下头，双手绞着手帕，用牙咬着嘴唇。

指纹到处都有。到处都有！

"端起葡萄酒，艾克顿，嗯？葡萄酒瓶，嗯？用手端着，嗯？我累坏了，明白吗？"

一双手套。

在做更多的事情之前，在擦拭其他地方之前，他必须戴上手套，否则一边擦拭一边又会留下新的痕迹。

他把手塞进衣兜，走到客厅里的伞架和帽架前，找到了赫克斯黎的大衣。他伸手去掏大衣的口袋。

没有手套。

他又把手塞进衣兜，走上楼，努力让自己保持平静。他已经因为没戴手套而犯了一个大错误(当然，他并没想到要杀人，有可能预感到这个行为的潜意识也未提醒他应该戴上手套)，现在他得为这个错误付出代价。他也许应该抓紧时间才对，随时都会有人来找赫克斯黎，甚至这时都可能。有钱人常常进进出出，喝酒，谈笑，招呼也不打就可以撞进来。到早上6点钟，赫克斯黎的哥儿们就会来叩门，要带他去机场还有墨西哥城……

艾克顿慌里慌张奔下楼翻抽屉，把手帕当作吸墨纸。他翻弄了6个房间的七八十个抽屉，丢下它们耷拉着舌头不管，又去翻另一个。除非找到手套，否则他觉得自己什么也没法做。他要拿着手绢搜遍整座房子，擦净每一个可能留下指纹的地方，但又可能碰到这里或那里的墙壁，遗下事关自己命运的细微痕迹。哪怕留下一个指纹，他就会没命。

再翻抽屉！要冷静，要细心，要沉得住气，他告诫自己。

在第85个抽屉的最底层，他找到了手套。

"哦，我的上帝，我的上帝！"他叫喊着一下子扑向抽屉。

他好不容易把它们套到手上，很骄傲地弯弯指关节，弹弹手指头。手套是灰色的，又厚又软，非常结实。现在他可以随心所欲东摸西碰，而不用担心留下任何痕迹。他对着卧室的大镜子用拇指按了按鼻子，又露出自己的牙。

"不！"赫克斯黎喊道。

这个计划多么邪恶。

赫克斯黎倒在地板上，有意的！哦，多么狡猾的一个人！赫克斯黎倒在硬木地板上，艾克顿随即也扑倒在地。他俩在地板上翻滚扭打，留下一个又一个数不清的疯狂指纹！赫克斯黎逃开了几步远，但艾克顿迅速扑了过去，一下掐住对方的脖子，直到把他那条命像挤牙膏似地挤尽为止。

戴上手套后，威廉·艾克顿重又回到先前那间屋子，跪在地板上，开始完成一寸一寸擦拭的艰巨任务。一寸一寸，一寸一寸，他擦啊，擦啊，直到地面几乎映出自己那张因紧张而大汗淋漓的脸。接着他走到一张桌子旁，从桌腿开始擦起，然后是桌身、抽屉和桌面。他又走到一只盛着蜡果的银碗面前，擦亮了镂花的碗边，轻轻拿出蜡果擦净，然后把果子放回未擦过的碗底。

"我敢肯定没摸过里面。"他说。

擦过桌子后，他看到了悬在桌子上方的一只画框。

"我敢肯定没碰过它。"他说。

他仰着头，注视良久。

他环视屋内的所有房门。今天晚上摸过哪扇门呢？他记不得了。那就把所有的门都擦上一遍。他先擦门把，擦得雪亮，之后将门自上而下抹了一遍，没漏过一处地方。抹完后他来到家具前，开始擦座椅的扶手。

"你坐的那把椅子，艾克顿，是路易十四时代的古董。摸摸看。"赫克斯黎说。

"我不是来谈家具的，赫克斯黎！我来找莉莉。"

"唉，别装蒜了，你并不喜欢她。她不爱你，你知道。她说过明天跟我一块儿去墨西哥城。"

"你还有你的钱你的家具都是他妈的混蛋！"

"家具挺好，艾克顿。好好做客吧，摸摸它。"

布料上也能留住指纹。

"赫克斯黎！"威廉·艾克顿盯住那具尸体，"你想到过我会杀死你吗？你潜意识里想到过吗，就像我潜意识里想到过那样？你潜意识里想到过让我在门把、书籍、碗碟和桌椅上都留下痕迹吗？你有那么狡猾那么精明吗？"

他用手绢儿擦拭了座椅。忽然他想到了尸体——还没有擦过它呢。他走到它跟前，这儿翻一翻，那儿翻一翻，将表面擦了个遍，甚至连鞋也没放过。什么都没放过。

在擦鞋的时候，他的脸上忽然浮现一丝不安，接着马上站起来走到那张桌子前。

他取出并擦拭了碗底的那只蜡果。

"这就好了。"他自言自语，又回到尸体旁。

可是他刚跪到尸体边上，下巴又不安地抽动起来，站起身再次走到那张桌子前面。

他擦拭了画框。

擦画框的时候，他忽然发现了——

墙。

"真傻。"他暗叫。

"哎哟！"赫克斯黎叫喊着躲开他的拳头。搏斗中他推了艾克顿一把，艾克顿摔倒在地，爬起来，扶住墙，又朝赫克斯黎扑过去。他掐住赫克斯黎，直到他断气。

艾克顿转过身。争吵和搏斗的场面渐渐模糊。他不再去想它们，而是环顾四面的墙。

"太荒唐了！"他说。

他从眼角瞟到一面墙上有什么东西。

"我什么也没看到，"他安慰自己，"去隔壁房间看看！我得不慌不忙才行。让我想想——我和他在客厅里待过，还有书房和这间房，还有饭厅和厨房。"

可是他身后的墙上确实有块印记。

是有一块，真的。

他气呼呼地转过身来。"好吧，好吧，再查一遍。"

他走过去，什么也没找着。噢，这儿，小小一块，就在这儿。他把它擦掉，尽管它并不是指纹。做完这件事后，他用戴着手套的手摸着墙，开始上下左右一寸一寸地查找。"没有，"他自言自语，脑袋上上下下地移动。"这样太过分了。"他说。有多少平方米？"我可不想这么认真。"尽管这么说，他那戴着手套的手指还是有节奏地在墙上摸索。

他盯着自己的手和糊墙纸，又扭头看看另一间屋子。"我得到那间屋去，把重要的地方都擦一遍。"他对自己说，可是手却不敢松下来，好像整个人儿都贴到了墙上。他的脸孔变得阴沉起来。

他一言不发地开始搓擦墙壁，上上下下，左左右右，踮起脚尖，弯下身子。

"太荒唐了，哦，我的上帝，太荒唐了！"

可是得确保万无一失啊，他暗暗自语。

"对，得确保万无一失。"他重复道。

他擦完一面墙，然后……

来到另一面墙跟前。

"几点啦？"

他瞧瞧壁炉上的钟。一个小时过去了，现在是1点05分。

门铃忽然叮铃作响。

艾克顿全身僵硬，看看门，又看看钟；看看门，再看看钟。

有人使劲敲门。

过了好长一段时间，艾克顿大气不敢出。他憋得难受，浑身轻飘飘的，脑袋轰隆作响，仿佛冰凉的巨浪在哗哗撞击礁岩。

"喂，你在那儿！"一个酒鬼大叫，"我看见你在那儿，赫克斯黎！开门，该死！我是比利，老伙计，醉得像猫头鹰一样，赫克斯黎，老伙计，一起来醉一醉，来两只醉猫头鹰怎么样？"

"滚！"艾克顿咬牙切齿地在心里吼道，但没敢吭声，紧紧贴住墙壁。

"赫克斯黎，你在那儿，我听见你呼吸啦！"酒鬼大声嚷嚷。

"是啊，我在这儿。"艾克顿低语，趴在地板上，感到自己愚蠢极了。"是啊。"

"混蛋！"那声音骂骂咧咧的，渐渐低了下去。脚步声远去了。"混蛋……"

艾克顿伫立良久，感受自己的心在体内怦怦乱跳。等到睁开眼睛，看见面前那块崭新的墙壁，方才敢说出话来。"真傻，"他说，"这面墙没有指纹，我没碰过。得快，得快，没时间了，再过几小时那些蠢家伙们就要闯进来了！"他转过身。

他又从眼角瞟见了几缕蜘蛛网。他一转过背，那些小蜘蛛就从木板缝里钻出来，结上几根飘飘忽忽的细丝，不是在他左边那面已经擦拭过的墙上，而是另外三面还未及碰过的墙。每当他盯住那些小蜘蛛，它们就缩回木板缝里，而他一转过身，它们又出来织网。"这几面墙没事，"他几乎喊出声来，"我没摸过！"

他来到赫克斯黎先前在旁边坐过的写字桌前，打开抽屉，取出他要找的一件东西。那是一只放大镜，赫克斯黎有时借助它看书。他看着放大镜，很别扭地凑近墙壁。

指纹。

"但这不是我的指纹！"他放声大笑，"我可没碰过那儿！我敢肯定没碰过！是个佣人，厨子，或者哪个小妞！"

墙上布满了指纹。

"瞧这儿这个，"他说，"细长尖细，是女人的，我敢打赌。"

"你敢吗?"

"敢。"

"肯定?"

"对!"

"不会错?"

"嗯——不会。"

"绝对?"

"是的，该死，绝对!"

"擦掉吧，不管怎么样，为什么不呢?"

"好吧，天哪!"

"擦掉那该死的印记，嗯，艾克顿?"

"这个，这边这个，"艾克顿自嘲似地笑起来，"是个胖男人的指纹。"

"肯定?"

"别再来这一套了!"他哼哼着把它给擦掉了。

他取下一只手套，哆哆嗦嗦地举起一只手，对着明亮的灯光。

"看哪，你这白痴! 看看你的胴纹是怎么转的? 看啊?"

"看这毫无用处!"

"那好吧!"他戴上手套，气呼呼地上上下下，左左右右抹着墙壁，跪下去，爬起来，骂骂咧咧，汗流浃背，脸孔越来越红。

他脱下外衣，扔在椅子上。

"两点。"他嘟哝一句，擦完一面墙壁后看了一眼钟。

他走到那只碗面前，取出蜡果，擦擦碗底，然后把蜡果放回原位，又去擦画框。

他望着枝形吊灯。

手指在身体两侧禁不住活动起来。

他张开嘴，舌头舔舔双唇。他看看吊灯，看看其他地方；又看看吊灯，看看赫克斯黎的尸身；然后目光再回到缀着长长的七色玻璃珠的水

WORLD-FAMOUS SUSPENSEFUL *STORIES*

晶吊灯上来。

他拖来一把椅子，搁在吊灯下面，踩上一只脚，把吊灯取下来，然后哈哈笑着恶狠狠地一脚把椅子踢到房间的角落里。接着他不顾尚有一面墙还未擦过，跑出了房间。

在饭厅里，他走到一张桌子前。

"我给你看一套格里戈利餐具，艾克顿，"赫克斯黎说。噢，那个懒洋洋的声音！

"我没时间，"艾克顿说，"我要见莉莉——"

"废话，瞧这只银的，做工多么精巧。"

艾克顿靠近餐桌，那套餐具仍旧放在那儿，他再次听见了赫克斯黎的声音，记起了所有的场面。

艾克顿擦着刀叉和银匙，又取下墙上挂着的金属饰物，还有瓷盘……

"这是格特鲁德和奥托·纳兹勒制作的漂亮瓷器，艾克顿。你熟悉他们的作品吗？"

"是很漂亮。"

"拿起来看看。翻过来。瞧这碗多薄啊，在转盘上用手工做的，像鸡蛋壳一样薄，真不可思议。釉色多妙，摸摸，拿着，我不会介意。"

摸摸。拿着。拿起来！

艾克顿禁不住抽泣起来。他将那瓷器朝墙上猛摔过去，瓷器飞溅，散落，撒满一地。

可是他马上就跪了下去。每一片，每一块，都必须找到。笨蛋，笨蛋，笨蛋！他摇头痛骂自己，眼睛睁开，闭上，又睁开，闭上，在桌子下面伛偻着身子。每一块都必须找到，白痴！一块也不能留下。笨蛋，笨蛋！他慌忙收拾。收齐了吗？他看着摆在桌子面上的碎片，又到桌子下、椅子下和柜子下面寻找，靠着火柴光找到了一片，然后一片片开始擦拭，好像它们全是钻石。他将这些碎片整整齐齐放在擦得锃亮的桌面上。

"多漂亮的瓷器，艾克顿。拿起来——摸摸。"

他拿起亚麻桌布，擦擦干净，又去擦座椅、桌子、门把、窗玻璃、窗台、窗帘和地板，然后气喘吁吁地来到厨房，脱掉汗衫，整整手套，又去擦拭那些银光闪闪的铝制品……

"我领你看看我的住宅，艾克顿，"赫克斯黎说，"走啊……"

他擦过了所有的器皿、银餐具和碗碟，这时他已不清楚自己到底摸过什么或者没摸过什么。赫克斯黎和他在厨房呆过，赫克斯黎故意夸赞自己的厨房摆设，想藉此掩饰自己对这位潜在凶手的恐惧，或者企图在一旦需要的时候离菜刀近些。他俩随意闲聊着，摸摸这儿，摸摸那儿——已经记不得摸过什么东西或者摸过多少东西——他完成了在厨房里的擦拭任务后，穿过大厅走进赫克斯黎躺倒的地方。

他叫了起来。

自己怎么就忘了擦拭这间屋子的那第四面墙呢。在他出去的当儿，小蜘蛛们从未及时擦洗的第四面墙蹦到已经擦过的另外几面墙上，又把那几面墙给弄脏！他惊叫着，看见天花板上，枝形吊灯上，角落里，地板上，成千上万根细丝在风中飘动！很细，很细的蛛丝，比指纹还要细！

他正看着，蛛丝飘上了画框，飘上了盛蜡果的碗，飘上了尸体，飘上了地板……纸刀、抽屉、桌面都留下了痕迹，到处都留下了痕迹。

他发疯似地猛擦地板。他把尸体翻了个身，一边擦一边叫，又走过去擦碗底的那枚蜡果。他把椅子放到水晶吊灯的下面，站上去擦每一只水晶灯，使劲摇晃着直到它发出叮叮噹噹的声音。他从椅子上跳下来，抓住门把，又站到另一只椅子上，去擦更高的墙壁，之后跑进厨房，抓出一把扫帚，去扫天花板上的蛛网，然后又去擦碗底的果子，擦尸体、门把、银器和大厅的扶梯栏杆，顺着栏杆一直擦到楼上。

3点啦！每个地方都响起时钟的滴答声。楼下有12间屋子，楼上有8间。他计算了需要擦拭的面积和所需的时间。100把椅子，6张沙发，27张桌子和6架收音机。上上下下前前后后。他将家具从墙边搬开，一边哭着一边去擦那几十年的积尘，又顺着栏杆往上擦啊，抹啊，刷啊，磨啊，因为哪怕只要留下一个印记，它就会变成几百个乃至几千个——一切又得从头开始，而现在已经将近4点——他感到胳膊酸痛，眼睛红肿，两腿发软，脑袋沉甸甸的，只是擦啊，擦啊，从卧室到卧室，从厕所到厕所……

人们在那天早晨6点半找到了他。

在阁楼里。

整座房子光明灿烂。花瓶像星辰一样放光。椅子熠熠闪亮。所有的铜器都发出耀眼的光辉。地板亮堂，扶梯明灿。

所有的东西都亮光闪烁，灿烂辉煌！

人们在阁楼里找到他时，他正在擦拭那些破箱子、破镜框、破椅子、破车子、破玩具、破乐器，还有花瓶、餐具、摇摇马和粘满尘埃的内战时期硬币。警官提着枪走到他身后时，他刚好全部擦完。

"好啦！"

走出房子时，艾克顿又用他的手绢儿顺手擦了擦前门的门把，然后凯旋般地把门"砰"地一关！

失踪的人们

[美] 杰克·芬尼

就当那是一家普普通通的旅行社走进去，我在酒吧间遇到的那个陌生人这样对我说。问几个普普通通的问题——你的旅游设想啦，假期啦，诸如此类。然后稍微暗示一下那本小册子，但是切记不可直接提起，等他拿出来。假如他不拿，你就尽可能把这事忘掉，因为你永远也不可能见到，你不合适，就这么回事。假如你直接问起，他就会望着你，仿佛根本就不明白你在说些什么。

我在脑海里一遍又一遍地复述这些话，可是晚上喝过啤酒后有可能记得的事到了早上就变得模模糊糊啦，况且这个清早还下着雨呢。我觉得自己像个大傻瓜，一家一家地去寻找那个记在脑子里的门牌号。这时正值中午，在凄风冷雨的纽约西42街，像周围半数的人一样，我一手扶住帽檐，身披军用防水短上衣，缩着脑袋在斜落的雨点中疾走，而世界却是那样灰暗而真实。这就是绝望。

反正我不知道去看那本小册子的我究竟是谁，甚至是否真有那么一个我？叫什么名字？我这样问自己，好像已经在被人讯问。我叫查理·艾威尔，是个小伙子，在银行工作，当出纳员。我不喜欢这个差事，挣不到几个钱，以后也永远挣不到。我在纽约已经待了三年多，没结识几个朋友。真他妈的活见鬼，没什么可说的——看的电影比想看的还要多，书也他妈的读得太多，一想到要一个人在餐馆里吃饭就心烦。我的长相、才能和头脑都属一般。这些合乎你们的要求吗？我够格吗？

我找到了这个地方，200栋的地址，是一座假装很现代的旧式建筑物，破破烂烂，早已过时，一副很不好意思的样子，却又无处躲藏。这类玩艺儿在纽约多着哪，特别是在第5街西段。

我推开通向狭长走廊的铜框玻璃门，走廊上铺着刚刚擦洗过的肮脏的瓷砖；漆成绿色的墙壁因为修补过而显得凹凸不平；一个金属架上挂着一块指示牌——黑底镶着白色的赛璐珞字母。有大约20个名字，在第二栏我找到了"艾克米旅行社"，在"艾尔油印社"和"艾贾克斯供应社"之间。我摁了老式铁栏电梯旁的电铃，电铃在通道里发出尖声怪叫，一阵长时间的沉默之后，响起一阵哐当声，接着沉重的链条轰隆轰隆缓缓朝我降下来。我差点转身就想逃——简直就像疯人院。

不过楼上的艾克米办公室倒与整座建筑物的风格不大一样。我推开毛玻璃门走了进去，宽敞的房间明亮而整洁，亮着日光灯。双层玻璃窗旁的柜台后面，站着一位个头高高、神情严肃的灰发男人，耳朵上架着一只话筒。他瞟了我一眼，点头示意我进去。我的心怦怦乱跳起来——他与描述中的那个人十分吻合。

"对，联合航空公司，"他对话筒说，"航班，"——他瞅了瞅玻璃面柜台上的一页纸——"七一呃一三，我建议你提前40分钟办理手续。"

我站在他面前等着，倚着柜台四下看了看。他就是那个人，没错，除此之外这是一家普普通通的旅行社：墙上贴着五幅色彩艳丽的招贴画，金属架上挂着各色小册子，柜台的玻璃板下压着印好的时刻表。它看起来就这么个破样子，没什么不同寻常之处，我心想。我再次感到自己像个傻瓜蛋。

"能为你效劳吗？"柜台后的那个高个子灰发男人朝我微微一笑，将话筒放回原位。我忽然感到极度紧张。

"是的。"为了拖时间，我开始解开雨衣的纽扣。我抬头又看了他一眼，然后说道："我想——旅游。"你这个笨蛋，太急了，我告诫自己，要耐心！我慌忙抬头想看看对方有什么反应，可他连眼睛都没眨一下。

"嗯，有许多地方可以去。"他彬彬有礼地回答，从柜台下面拿出一本细长的小册子，放在玻璃台面上，将正面掉向我。"飞向布宜诺斯艾利斯——另一个世界！"封面上端用浅绿色的两行字母这样写道。

我有礼貌地看了一段时间。上面一架银色的巨型飞机在夜间飞临一座港口上空，水面泛着月光，远方群山逶迤。然后我摇了摇头。我不敢说话，生怕说错什么。

"更清静些的地方？"他又取出另一本小册子：古树参天，满目萧瑟，斜阳穿过树杈洒向草坪——"缅因州的处女森林，可经由波(士顿)——缅(因)线前往。或者，"——他拿出了第三本小册子搁在玻璃台面上——"去百慕大现在正是时候。"上面写道："百慕大，新世纪的古典田园。"

我决定冒冒险。"不，"我摇摇头说，"我要寻找的是个永恒的地方，一个可以定居和生活的崭新的地方。"我注视着他的双眼，"在我的余生。"说完后我感到极度紧张，又想找条退路。

可是他只是快活地一笑，说道："真不知道该如何给您出主意。"他前倾身体，双肘支在柜台上，两手绞握在一起。我可以对他寄予希望，他的姿态表明了这一点。"你寻找什么？想要什么？"

我止住呼吸，脱口而出："逃离。"

"逃离什么？"

"呃……"我略微犹豫：我以前从未用文字表达过。"逃离纽约，可以这样说吧。或者说城市。逃离烦躁。逃离恐惧。逃离在报纸上读到的一切。还有孤独。"

我知道自己已经说得够多了，但是一时无法自制，话语如江水滔滔涌出。"逃离自己不想做又不得不做的事和过度的享乐。逃离仅仅为了活着而虚度的光阴。总之，逃离生活本身——它今天的模样。"我盯着他，又轻声补上一句："逃离这个世界。"

他抬头看着我，两眼不带任何虚假审视我的脸，我心想他马上就会摇摇头说："先生，你最好去找个医生看看。"但他并没有这样做。他仍旧看着我，目光这回集中在我的额头上。他个儿很高，灰发拳曲，线条分明的脸孔显示出机智和温和，纯粹一副牧师的神态，慈父的神态。

他下移目光，直视我的双眼乃至眼底；审视我的嘴、下巴和下腭的轮廓，我忽然意识到，他毫不费力地在一刹那间了解到了我的许多东西，比我自己知道的还多。他忽然笑了，双肘支在柜台上，一只手握住另一只攥成拳头的手，一边轻轻揉，一边说："喜欢人吗？说老实话。我猜你不喜欢。"

"对。我很难放松自己，很难结交朋友。"我说。

他严肃地点了点头，表示理解。"你认为自己是个有理智的人吗？"

"我想是。我认为是。"我耸耸双肩。

"为什么？"

我无奈地笑了笑，这个问题的确不好回答。"怎么说呢——至少当我失去理智的时候，我总会感到歉意。"

他冷冷一笑，琢磨了一会儿，然后不以为然地面露笑容，好像准备说出一个不太文雅的笑话。"你瞧，"他漫不经心地说，"我们这儿偶然会有一些像你这样的人来。为此我们准备了一本小册子……"

我大气不敢出。这正是我被告知如果他认为我合适就会说的话。

"……我们都已经把它印出来了，只为自己找乐子，明白吗？偶尔也提供给一些像你这样的顾客。因此我得提醒你，如果你感兴趣的话，就在这儿看。此事我们不愿声张。"

我诚惶诚恐地说："我感兴趣。"

他伸手到柜台下面，摸出一本细长的小册子，开本和其他几本一样，放在玻璃台面上，朝向我。

我望着它，用手指尖把它拨近，生恐碰到它。封面深蓝色，像是夜空，上端印着一行白色的标题："到迷人的凡纳①旅游去！"蓝色的封面点缀着小白点——群星——左下角有一个圆球，大概是地球，缠绕着层层云絮。而在右上角，刚好在凡纳二字的下方，有一颗格外灿烂的星星，光芒四射，如同圣诞卡上的那种星。封面底端一行字横穿而过："罗曼蒂克的凡纳，生活理应如此。"这行字旁边有一个小箭头，示意继

---

① 此处凡纳为一虚构地名，字母拼写与法国科幻作家凡尔纳(1828—1905)的名字仅一字之差。

续往下翻。

我继续往下翻，里面的内容与其他的旅游小册子极为相似——图片和说明，只不过这一本介绍的是"凡纳"，而不是巴黎、罗马或巴哈马①。小册子印制精美，图片逼真，我的意思是说，你看过彩色立体照片吗，就是那种效果，而且比那种照片更清晰。在其中的一幅画片上，可以看清草叶上闪亮的露珠，湿漉漉的。在另一幅上面，一段树干似乎凸出画面，是可以假乱真，用手摸上去方才相信那是光滑的纸页，而非粗糙的树皮。第三幅画片上那些缩小的面孔，则简直就随时可能张口说话，瞳孔明亮，朱唇湿润，肌肤柔嫩；在你凝视的时候，你感到那些人随时都可能活动起来。

我仔细观看一幅大幅通栏图片。画面好像是从山顶拍摄的，地面自脚下向一条幽谷延伸，随后重又升高，消失于另外一侧。两座山的斜坡都被密林覆盖，色彩无比鲜艳；碧绿庄严的树木漫向地平线，你只要一看见这样的密林，就能确信它是处女森林，从未被谁染指过。远方的低凹处，淌着一汪清泉，跟天空一样澄澈而湛蓝；在水流撞击鹅卵石的地方，雪白的浪花四下飞溅，仿佛你只要再凑近些细看，就能看清溪水在阳光下缓缓流淌。水流旁的空地上，有几间茅草顶的小屋，有的是木质结构，有的用砖或粘土砌成。图片下面的说明文字只有简简单单三个字："居民地"。

"是个玩乐的好去处，"柜台后面的那个男人朝我手上的小册子点点头说，"可以解解闷儿。景色不错，对吧？"

我默默地点头同意，又将目光移回那幅图片，因为图片里的内容比我头一眼看见的要丰富得多。我不知道是如何产生这种感觉的，在仔细观察之后，我觉得这幅画面与美洲大陆刚被发现时的景色极为相似。这只是整座未被摧残、未被踩躏的大森林的一部分，所有的河流都流淌着清澈的水；你甚至可以见到那些土著——他们上个世纪就已被斩尽杀绝——曾经在肯塔基、威斯康星和古老的大西北见过的情景。假如你有幸将那种空气吸进肺部，你会感到它要比这150年来在任何地方吸到的

---

① 巴哈马群岛，位于加勒比海北部，为著名旅游度假胜地。

空气都要清甜。

在那幅图片下面的另一幅图片里，有七八个人在沙滩上玩耍——可能是湖畔，也可能是上面那幅图片里的那条河的岸边。两个小孩蹲在水边戏水，近处一群大人围成一圈，各自以舒适的姿势坐着、跪着，或蹲在金黄的沙粒上。他们在说着什么，有几个人抽着烟，多数人手里都拿着喝掉一半咖啡的杯子。阳光明媚，空气清新，可以看出适值清晨，刚刚用过早餐。他们都面露笑容，一个女人在说话，其余的人在聆听。有个男人半蹲着，朝水面打出一个水漂儿。

于是你明白：他们用过早餐后利用上班前的二十分钟在沙滩上修身养性；他们是朋友，每天都这样聚一聚；于是你明白——他们热爱自己的工作，全都热爱，不管是什么样的工作；没有任何压力。还有——行啦，够啦！每天早餐后人家就花半小时时间坐着聊天，沐浴着清晨的阳光，坐在美妙的沙滩上。

我以前从未见过这样的脸。这些脸相貌平平，大同小异，可是都绽开笑容。有的年轻极啦，二十多岁吧；有的看来三十多；一个男人和一个女人大概五十的光景。最年轻的那一对脸蛋柔嫩光洁，让人以为他们就出生在那儿。那是一个没有忧伤也没有恐惧的地方。其他那几个，特别是年纪大些的，额头上皱纹密布，嘴角也已经凹陷，可是也让人感到那些皱纹将不会加深，它们已被治愈而成为往日的遗迹。而在年龄最大的那一对的脸上，呈现出来的则是——可以说是永久的欣慰。没有哪张脸流露出怨恨；这里人人都充满欢乐。更重要的是，他们日复一日、年复一年地过着快乐的生活，过去如此，未来也将这样，更不用说现在了，而且人家意识到了这一点。

我想加入他们的行列。一种要上那儿去的强烈的渴望从我内心深处涌出——到沙滩上去，用过早餐后跟他们一道沐浴清晨的阳光——我实在克制不住自己。我抬头瞧着柜台后面的那个男人，脸上堆出微笑："这个——很有意思。"

"是啊，"他也笑了起来，很惊奇地摇了摇头，"客人们总是这么感兴趣，这么动心，一般都不再问什么，"他发出了笑声，"只想知道价钱和其他细节。"

　　我点点头表示已经明白。"我想你对整个计划都比较了解吧？"我又看了看手中的小册子。

　　"那当然。你想知道什么呢？"

　　"这些人，"我轻声说，用手碰了碰一群人在沙滩上玩闹的那张图片。"他们做些什么呢？"

　　"人家工作，个个都一样。"他从衣兜里掏出一支烟斗。"一般做自己乐意做的事。有的读书。根据我们的规划，有一个……"他又笑了笑，"……挺不错的图书馆。有的人干农活，有的人写作，还有一些人做手工活。大多数人都生儿育女，哎，这么说吧，他们做的事都是自己真心愿意去做的事。"

　　"假如没有任何事情真心愿意去做呢？"

　　他摇头不以为然。"对我们每一个人来说，总会有些什么事情是自己真心愿意去做的，只是在我们这种地方，没那么多时间去发现罢了。"

　　他取出一只烟叶袋，靠着柜台开始往烟斗里装填烟叶末，两眼看着我，一副很严肃很深沉的样子。"生活就摆在那儿，宁静而淡泊。有点像早期的拓荒公社，只是没那么些让人短命的苦役而已。有电，有洗衣机、吸尘器、自来水、现代化的浴室和现代医药，现代得很。但是没有收音机、彩电、电话和汽车。地方也不算大，人人都在小社团里生活工作，大多数生活用品都由自己动手制作。房子靠自己盖，当然有邻居帮忙。产品归自己所有，东西多极啦，但不得出售，也无法出售，根本就没有票券。他们跳舞、打牌、结婚，举行命名仪式、祝寿仪式和丰收聚会。还有游泳和各种体育活动。举办演讲表演，谈吐幽默，妙语连珠。走亲访友和相互宴请更是司空见惯的事情，每天的日程都安排得满满当当。没有任何压力，经济的或社会的都没有，不用为生活担惊受怕。所有的男人、女人和孩子都是快乐的天使。"他又笑了笑，"我在背诵解说词呢，当然，开个小小的玩笑。"——他朝小册子点了点头。

　　"当然。"我低声说，又低头去翻看小册子，拨拉了一页。"居民地家庭"一条说明这样写道，下面果然有十几张小屋内部陈设的图片，而且很可能就是我在第一张图片上看见的那些小屋。其中有起居室、厨房、书房和院落，许多家庭按早期美洲的风格进行了装饰，只是看上去那些家具，比如石椅、碗柜、桌子和卷角的地毯的确是自己动手做成的，做得还算美观。另外一些家庭的摆设则具有现代味道，有一家甚至还显示出了明显的东方情调。

所有的屋子显然都有一个共同特点：一眼看上去就会感到，对于住在里面的人们来说，这些屋子是家，是真正的家。在一间起居室壁炉上方的墙壁上，挂着一幅缝制的题词："没有比自己的窝更好的地方。"这句话看起来并没有开玩笑的意思，也不像是从哪本破书上抄来的。它显得异常自然，与环境极为吻合。

"你是谁？"我抬头直视那个男人。

他点燃烟斗，不慌不忙地将火苗吸进去，瞄了我一眼。"书上有，"他说，"在封底。我们——也就是说，凡纳人，最早的定居者——是跟你一样的人。凡纳是一颗有空气、阳光、土地和海洋的行星，像这颗行星一样，气温也相似。因此那儿的生活当然也就跟这儿的差不了多少。我们跟你一样，只是去得早了点而已。有些细微的结构差异，但无碍大局。我们读你们的詹姆斯·瑟伯尔、约翰·克雷顿、拉伯雷、艾伦·马普尔、海明威、格林、马克·吐温、艾兰·尼尔森；吃你们的巧克力——我们不生产；听你们的音乐；当然你们也会喜欢上我们的一些东西，尽管我们的思想、目标和历史发展的方向与你们的截然不同。"他微微一笑，喷出一口烟。"稀奇古怪，是不是？"

"是。"我清楚自己的回答有点荒唐，但忍不住一笑，脱口问道："那凡纳在哪里呢？"

"按你们的计算方式，离这儿有好几光年。"

也不知道为什么，我忽然有点恼火。

"那就是说很难去那里，是吧？"我问。

有那么好几分钟，他看着我；后来朝身旁的窗户转过身。

"你过来，"他说。我绕过柜台站到他的身边。"那儿，靠左边的地方——"他一手搭在我的肩膀上，用烟斗柄指点着说——"是两栋大楼，背靠背盖起来。一栋的入口在第5街，另一栋的入口在第6街，看见了吗？就在大街中央，可以瞧见屋顶。"

我点点头。他又说："在其中一栋的第14层住着一个男人和他的太太。他们家的起居室的墙壁是另一栋大楼的后墙，在另一栋大楼的第14层，住着他们的朋友。那家人的起居室的墙壁正好是这家人的大楼的后墙，也就是说，这两对夫妻彼此相距不到两英尺，因为两幢大楼的墙壁是连在一起的。"

这个个头高大的男人笑了起来。"可是如果罗宾逊夫妇要去拜访布莱登夫妇的话，他们就要从起居室走到前门，穿过长长的走廊走进电梯，乘电梯落下14层楼，然后来到大街上，走过一个街区。大城市的街区可长啦，碰上下雨天恐怕还得叫辆出租车。他们走进另一栋大楼，又穿过大厅，坐电梯爬上第14层，再穿过走廊，摁响门铃，最后才来到朋友家的起居室——而这地方离他们自己家的房间不过咫尺之遥。"

高个男人回到柜台前，我绕过柜台又站回另一侧。"我想告诉你的是，"他接下去继续说，"罗宾逊夫妇出游的方式就像是空间旅行，跨越遥远的距离。"他耸耸肩，又说，"如果他们能在不损害自己或墙壁的情况下穿越这两英尺距离——嗯，那就是我们旅行的方式了。我们不用跨越空间，免了。"他又笑笑，"在这儿吸口气——呼出去时就到了凡纳。"

我轻声问："那他们就是这样去成的吗？图片里的那些人？你让他们去那儿。"

他点头。

"为什么呢？"我再问。

他耸耸双肩。"假如你看见一家邻居着火了，能救的话，你救不救呢？尽自己的能力，至少？"

"是的。"

"那就对了——我们也一样。"

"你认为我们有这么糟糕？"

"那你自己怎么看呢？"

　　我想到了早晨在报纸上读到的那些标题，每天早晨都是如此，千篇一律。

　　"是不怎么样。"我说。

　　他颔首同意。"我们不可能让你们全去，甚至也不可能让很多人去，因此一直在挑选。"

　　"有多久了？"

　　"很久啦，"他笑笑，"我们有个人是林肯①内阁的阁员。不过直到你们的第一次世界大战前不久，才有了一点眉目。在那之前我们还一直只是旁观。1913年我们在墨西哥城开了第一家公司，现在在每个大城市都有分公司。"

　　"1913年，"我喃喃自语，记忆中仿佛忽然闪过什么。"墨西哥。对！是不是……"

　　"正是。"他笑了，接过了我的问题，"安布罗斯·比尔斯②那年或是第二年加入了我们的行列。他活到1931年，一个老头儿，又写了四本书，我们都有。"他翻了一页小册子，指着第一幅大照片上的一间小屋说："这就是他的家。"

　　"是不是克雷特法官？"

　　"克雷特？"

　　"另外一桩轰动一时的失踪案；他是一位纽约大法官，几年前忽然不见了。"

　　"这我不清楚。记得我们倒是有过一位法官，从纽约来的，二十多年前的事了，但我不记得他的名字。"

　　我隔着柜台朝他探过身子，凑近他的脸，点点头说："我喜欢你的玩笑。非常喜欢。无法用言语表达。"随后又轻声补上一句："什么时候不再是玩笑？"

　　他审视我的脸。"现在。如果你愿意的话。"

---

① 亚伯拉罕·林肯(1809—1865)，美国第十六任总统，被蓄奴派分子刺杀身亡。

② 安布罗斯·比尔斯(1842—1914)，美国讽刺作家，著有《魔鬼辞典》等。1914年因愤世嫉俗远走战乱频仍的墨西哥，从此下落不明。据信被比乔亚的军队所害。

你得当机立断，列克星顿大街酒吧的那个中年汉子对我说过，因为不会再有第二个机会。我清楚；我试过。我伫立沉思。一群不愿再看第二眼的人，一位只见过一面的妞，这就是我生活的世界。我又想到离开那间小屋去上班，下班后又得摸黑赶回去。最后我想到了图片上浓绿的峡谷和清晨阳光下奶黄色的沙滩。

"我去，"我低声说，"如果你允许的话。"

他依旧审视我的脸。"想清楚，"他严肃地说，"想明白。我们可不希望有谁在那儿不快活，哪怕你还有一丁点疑虑，我们都宁可——"

"我想清楚了。"我说。

过了一会儿，这个灰发的男人打开柜台下面的一个抽屉，拿出一块黄色的长方形小卡片。其中一面印了字。中间是一杠浅绿色，看上去像是一张去白色平原或其他什么地方的火车票。上面写着："你好，去凡纳有效。不得转让。单程。"

"呃……多少钱？"说着我把手伸向荷包，心想不知他要不要我付钱。

他看着我的手在臀部的裤袋里摸索。

"你兜里的全部，包括零钱。"他笑笑，"你不必带钱了，我们可以用你的钱支付活动费用、电费、房租等等。"

"我没有多少。"

"没关系，"他又从柜台下面拿出一只挺重的印戳记，就是在车站剪票口常见的那种。"我们卖过3700美元一张，也卖过6美分一张。"他将票放进机器里，一压把手，然后把票还给我。背面新印上去一行紫色的字："当日有效。"下面是日期。我把两张伍元的钞票、一张一元的和17枚硬币放在柜台上。"拿上票去艾克米货栈。"灰发男人说，隔着柜台向我讲解去那儿该怎么走。

艾克米货栈一点也不起眼，你可能见过它——就是百老汇西边一条小巷里的一家小店。橱窗上很随意地漆着"艾克米"三个字。里面堆着在破旧房间里常见的坛坛罐罐，有一只破损的木质柜台和几只破椅子。像艾克米货栈这样的小店在那一带比比皆是——小里小气的剧院售票处、贼头贼脑的巴士售票处，还有就业办事处等等。你可以从它旁边经过一千次而没注意到它；而假如你住在纽约，说不定你也会开上一家。

我来到的时候，柜台后一个穿着衬衫的男人嘴上叼着烟，正站得笔直在写什么东西；四五个人一声不吭坐在椅子里等待。我走进去时，那男人瞅了我一眼，注意到了我手里握着的那张票，等我将票出示给他看时，他朝最后一只空着的椅子点点头，于是我便坐了下来。

身边是一位姑娘，两手护住她的钱包。她的长相还算不错，甚至可以说挺好看；我想她可能当过速记员。小办公室对面坐着一个身穿工作服的年轻黑人，他太太膝上抱着一个小姑娘，坐在他身边。还有一个年约半百的男人，扭头看着屋外落在过往行人身上的雨点。他衣冠楚楚，头戴一顶灰色洪堡帽，很可能是一家大银行的副总裁之类，我暗忖，同时心想不知他那张票价值多少。

大约20分钟过去了，柜台后的那个人仍在写着什么。这时一辆破旧的小巴士驶到门外的马路边，我听见刹车的声音。巴士破破烂烂的，大概已被转了三四次手，旧漆上又新涂了红、白油漆，挡泥板上布满凹痕，车胎的胎面几乎已经光滑，不见一丝胎纹。车身上印着三个红字"艾克米"，司机穿一件皮夹克，戴一顶出租车司机头上常见的破布帽。这种车你常常可以在周围见到，满载衣衫褴褛、疲困无言的乘客，谁也不知道驶向什么鬼地方。

这辆车花了将近两小时才好不容易穿过交通拥挤区，朝前驶向曼哈顿的尖角。我们都一言不发，默默地坐着，沉浸在自己的思想里，透过雨点淅沥的车窗眺望外界。小姑娘睡着了。我透过车窗玻璃，看着淋得透湿的人们在巴士站旁挤成一团，看着人们气呼呼地砸着紧闭的车门，看着司机们的烦躁扭曲的脸。在14街我看见一辆汽车驰过一摊肮脏的积水，脏水溅了路旁一个男人一身；我看见那男人吐出脏话时嘴巴在动。前方红灯亮起，我们的车顿时动弹不得，这时人群纷纷从路边拥上马路，在我们的车和其他的车之间寻找出路。我看见成千上万张脸孔，其中没有一张是笑的。

我打了一会儿盹。接着在驶上长岛什么地方的一条灯光闪烁的高速公路时，我又沉入梦乡。醒来时车子正颠簸着离开高速公路，拐进一条泥泞的小路。我瞥见一座农舍，窗户漆黑。这时车子减速，颠了一下后停住了。随着一声刹车，马达声消失，我们停在了一座仓库模样的建筑旁边。

这是一座仓库——司机走过去将巨大的滑动木门推开，滑轮轧着生锈的铁槽发出咯咯响声。待我们拥进去后，司机松开木门，木门又隆隆作响地在我们身后关闭。仓库破旧潮湿，墙壁歪斜，一股牲口的味儿。脏兮兮的地上什么也没有，只有一张未油漆过的木凳。司机用手电筒照着木凳，不慌不忙地说："请坐在这儿。把票拿出来。"接着他依次在我们的票卡上扎了洞。就着移动的手电光，我瞅见地上撒着无数票卡，像是黄色的碎纸。他又走到了木门旁边，打开一条刚好可以挤身出去的缝，然后在夜空的映衬下挤出门外。

"祝你们好运，"他说，"在原地等着。"他松开木门，木门滑动着关上了，切断了他的手电筒的光。又过了一阵，马达轰隆作响，车子不紧不慢地开向远方。

漆黑的仓库悄无声息，只听见我们自己的轻微呼吸。时间在流逝，我感觉到一种冲动，非常想与身边的不管哪个人说说话。但我又不知道该说什么，只是感到自己很不自在，很傻，意识到自己只是坐在一个荒废破旧的仓库里。时间一分一秒地消失，我烦躁不安地动了动脚，开始感到有点儿冷。忽然我似乎若有所悟——脸孔顿时因为气愤和羞辱变得通红。我们被要了！骗了我们的钱不算，还把我们扔在这儿。我简直就不明白自己怎么会愚蠢到这种地步。我站起来在黑暗中磕磕绊绊地走过凹凸不平的地面，想摸到电话或者叫警察。仓库的大门比我想象的要沉重得多，但我推开一道缝挤了出去，然后掉头大声呼叫其他人出来。

你也许有过这样的经历，在手电筒一刹那的照耀下，每一个局部的映像都印入了你的脑海，并且在以后很长的一段时间内依旧存在。在我掉头的一瞬间，仓库里忽然一片明亮。从墙壁和天花板的裂缝以及布满灰尘的窗户中，射进来灼目的光，我张嘴惊叫时空气直灌肺部。我一辈子都没吸进过这么清甜的空气。我透过仓库一只脏兮兮的窗户，瞥见——比一眨眼还要短暂——下面有一座密林覆盖的非常壮观的V形深谷，密林中流淌着一条蓝色的小溪，小溪边上两排低矮的房屋之间，是一片阳光般金黄的沙滩。就在这一瞬间，这幅图画永远印在了我的记忆里。

沉重的大门缓缓合上，我夹烂了指甲也没能阻止住它——于是我独自一人站在冷雨翻飞的暗夜中。

我花了四五秒钟——就四五秒钟——又把那门扳开。可是四五秒钟已经太久太久。仓库里空空荡荡，一片昏黑。除了一张破旧的松木长凳，什么也没有，在我手中的火柴照亮下，只见地面上有一堆五彩碎纸。在用双手胡乱扳弄那扇木门时，我就已明白里面不再会有人；我知道他们在哪儿——知道他们正在意外的狂喜中，在那个绿意盎然的深谷里，大笑着朝家里走去。

我在一家银行干活，干一份我讨厌的活。每天乘地铁，在地铁里读报，读报上的新闻。我住在一间租来的小屋里。在一件破衣服的兜里，压在一堆皱巴巴手绢下面有一张黄色的长方形票证。票证上面写着："你好，一次有效，单程赴凡纳。"背面印着日期。可是日期早已过期，票证已经作废，上面钻了一排小孔。

我又去过艾克米旅行社。刚一进去，那个灰发的高个子男人就走过来，把两张五元的钞票、一张一元的，还有17枚硬币放在我面前。

"上次你来时把这些忘在了柜台上，"他沉重地说，直视我的眼睛，然后又冷冷补上一句："我不明白这是为什么。"

这时又进来了一批顾客，他转过身去招呼他们。我极为无奈，只好离开。

你就当那是一家普普通通的旅行社走进去——在任何城市的哪个角落你都能找到它！问几个普普通通的问题——你的旅行计划啦，假期啦，随便问什么。然后稍稍提到那本小册子，但不要直接问起。让对方有时间审查自己。如果他认为行，如果你符合条件，如果你信——那就当机立断！因此你再也不会有第二次机会。我清楚，因为我试过。试试。试试。

春　情

[英] D·S·戴维斯

　　莎拉·谢菲尔德看着丈夫从楼上走下来。他把手提箱放到门口，看着客厅里的钟，对了对手上的表，又对着镜子摸了摸下巴。他剃胡须时常常会漏剃某个地方。他后退几步，又上下打量了一下自己全身，皱了皱眉头。他发福了，开始有了肚腩，自己一点都不喜欢，这件事让他心有多烦，他对她就有多烦。但他一句话也没说，既没骂人，也没抱怨。她有点悻悻然地回想起，为了博取他的欢心，她玩过了多少小聪明，把自己变成了羞羞答答的样子，更像是个少女，而不是一位妇人。她不觉得自己比杰拉尔德小十二岁。她用指尖摸了摸自己肥胖的肚皮。

　　杰拉尔德把自己的样品香料桶拎进起居室，打开，他走后香味会在这里弥漫好长一段时间。

　　"亲爱的，今晚要是太冷，下面有足够的柴火。"他说，"你别从村子里搬那么多东西回来了，那是送货卡车干的事……"他一边说着，一边摆弄着桶里的瓶瓶罐罐。

　　看见他提起了手提箱，她站起来，跟他一块走到门口。走到门廊时，他一阵犹豫，耸了耸肩膀，又深深地吸了一口气说，"在这种早晨，要是有一辆车开开就好了。"

　　"你可以学的呀，杰拉尔德。你只用花一半的时间，就能学会……"

　　"不用，亲爱的，我特喜欢在公交车上看报纸，到了城里，汽车就是累赘。"他转身用嘴亲了亲她的面颊，"好了，那就这样了。"说着，他大步跨出家门。

她的眼睛一直尾随着他行走的方向，这时候他们家惟一的一位近邻出现了，一个种蔬菜和鲜花的男人，扛着一把锄头，走在一匹马后面，脑袋和马低头时一样高，晨风吹动着他那稻草般的灰发，头发直立起来像是几根稻穗。

"那老家伙会过日子，"杰拉尔德说，"等我到他这把年纪，我也这样过。"

"他并不老。"她说。

"是啊，他其实并不老，"他说，"好了，亲爱的，我真要走了，明天晚上见，好好照顾自己。"

他走下马路，脚步很轻快，奇怪的是他从来也没想过买一辆车。如果有一辆车，就可以把他在外面的生活跟家连起来。她还可以钻进车里，跟他一起体会他在外面的生活，身上还不会沾上灰尘。要真是那样，她也就不会那样在乎他整天拎着样品香料桶奔波在外了。

等他从视野里消失，她又开始做各种家务活——收拾早餐的碗碟呀，拾掇床铺呀，掸掉灰尘呀，她从城里买回来太多的东西，母亲又把七十年积攒的东西连同这座老宅一起全都给了她，如今要想在这屋里的桌子上搁一本书都难，先得搬开雕像呀、花瓶呀什么的东西。这屋子里确实堆满了太多的小玩艺，杰拉尔德对此不止一次表示过惊奇。是这座房子，而不是婚姻改变了他。她坐在这房子里面，就像一尊端着一炉香的老菩萨。

奇怪的是，也只是到了现在，她才有这种感觉。其实感觉早就有了，只是到了现在，她才想到要把它表达出来。可能是因为杰拉尔德离得很远，她已经不能再找到他当年追寻她的那种眼神了。

她在门口搁置了几样东西，准备卖给一个收破烂的，在搬弄的过程中，她找出了几件自己特别喜欢的玩艺。她把这些东西视若自己的孩子，就如同杰拉尔德把书当做孩子来消磨黄昏一样。她找出一只篮子，把这些东西装了进去。

她随后把剩下的东西搬到后院，等到把这一切做完，她松了一口气，享受着五月的风和温柔的阳光，感觉就像有只胳膊搂住了自己，身

心一阵轻快。隔着篱笆，她看见邻家的黄水仙开花了，郁金香也像胖孩子一样频频点头。乔伊斯先生正在拴马，他看见了她。

"早上天气真好啊。"他对她说，他拍了拍马屁股，把马赶进了马厩，然后走到篱笆边。

"你这些花真好看啊。"她说。

"今年长得慢，晚了两个星期才开花。"

"是这样吗？"当然是这样了，她心想，这样问真傻。可接下来说的话也很傻。"我从来没有见过这么漂亮的花。往下的天气会怎么样呢？"

"会冷一阵子，今年就是这么回事。玫瑰花开晚了，莺尾花也不好卖，我摘都懒得摘了，就让它们在地上长着吧。"

"那样花会谢掉的。"她说。

"管它的，你辛辛苦苦一年，可得不到任何回报，花儿并不开。"

就像爱情，她心想，但管住了舌头，没说出口。她的脸上泛起一片红晕。

"你看上去真漂亮啊，谢菲尔德太太。我这样说你，你不介意吧？"

"谢谢，可能是春天来了吧。"

"春天让你热血沸腾？给你一束花，怎么样？"

"那当然好了，乔伊斯先生，但我要给你钱。"

"不用给钱，我根本就不想卖，院子里多得要死。"

莎拉看见他很专业地拾掇着那些花。

这些年来他一直与他们为邻，但从来没有来过他们家。他们也只去过他家一次，那还是去参加他太太的葬礼。那次她对杰拉尔德说，他看上去并不怎么伤心。那个女人待在房间里动弹不得，一天到晚都见不着阳光，莎拉觉得跟乔伊斯太太活着时相比，乔伊斯现在看上去要更年轻。

"够了，乔伊斯先生，足够了。"

"我真想把这满园子的花都送给你。"说着，他往她怀里塞了一大把花。

"我都已经抱走半园子花了。"

"你跟花在一起，真是春色无限。"

"我得赶紧回去给它们浇水了，谢谢你。"

她连忙往家里跑，就像初恋的小姑娘刚结束第一次约会，知道身后尾随着一道热切的目光。整个上午她都跟花在一起，有了这些花，一切仿佛都焕然一新了。她关掉了收音机，再也不想为朱丽叶小姐那些伤感的歌落泪。到了中午，她听见乔伊斯先生的马车驶过院子，又准备去路边摆摊了。她从窗户望出去。他抬头往这边看了看，摸了摸帽檐。

她看着他，心里有一种异样的感觉。他让她充满了自信，为此，她对他满怀感激。

她开始盼望杰拉尔德能早点回来。好好过日子吧，莎拉，她对自己说。你过惯了以往的生活方式，就像喜欢那些小玩艺一样。想到这一点，她心中涌过一阵温情。我不是个胖女人，只是有点丰满。丰满，丰满，她大声重复这两个字，声音清脆得就像一枚土豆掉进了盛满水的浴缸。

然而，到了阳光温暖的下午，惯常的倦意又袭上了她的全身，只是等到乔伊斯先生回来，院子里响起他的歌声，她才从床上起来。她连忙从冰箱里拿出一只鸡，冲到门廊叫住他。

"乔伊斯先生，你来跟我一块吃饭吧。杰拉尔德没回家，我不喜欢只给自己做饭。"

"哦，太棒了！我家里空空荡荡的，只剩下一块面包，连狗都不愿啃。那我带点什么过去？"

"你人过来就行了。"

她一边收拾餐桌，一边对自己说，莎拉，你是一只想在白天展翅的老蝙蝠。半个小时过后，她透过窗户恰好看见乔伊斯先生像一匹敏捷的小马，纵身一跃就跳过了篱笆。他穿上了礼拜日的衣服，胳膊下还挟着一瓶酒。有那么一瞬间，莎拉有点想笑，觉得自己像是被唐璜追求的小姑娘，得到一种虚荣心的满足。乔伊斯先生倒是一位得体的客人，那瓶酒是"五月葡萄"。他痛快地喝了一口，对她做的菜赞不绝口。

"你不知道我多羡慕你们两口子，谢菲尔德太太，尤其是羡慕你丈

夫啊，他怎么能舍得撇下你在外奔波呢？"

他舍得得很，她暗忖。

"那是他的工作，他是个推销员，卖香料的。"她说。

乔伊斯先生微微一笑，露出一排整洁的牙齿。"那就是说他整天就跟香料呀、糖呀什么的搅和在一起啰？"

是啊，他周围全是些小姑娘，她心想，后来娶了其中一个最老实的。这个婚是结得很匆忙，没准到头来是个错误。

"乔伊斯太太去世后，你一定很孤单吧？"她说出来的这句话，比她原来想说的要更直率，毕竟那位女人已经死了三年了。

"比她活着时好多了。"跟她的口气相比，他的声音要显得更严肃，"这样议论死者是件很残忍的事情，不过要是她不死，我们都得烂掉。"他从口袋里掏出一只烟斗问，"介意吗？"

"没事，我喜欢屋子里有烟的味道。"

"你丈夫抽烟吗？"

"抽的。"她对这个问题觉得有点惊奇。

"他看上去不像是抽烟的人啊，亲爱的女士。"等到他把烟丝塞好，又继续往下说，"你运气好，不知道家里有病人是咋回事。"

"是的，我一直生活在好运中。"

他的眼睛里闪过几丝狡黠的光泽。你跟我一样寂寞，老妹，那双眼睛似乎在说，眼神里的那种坦率逼迫她又补上一句："不过我还是希望杰拉尔德多点时间在家。"

"嗨，他这种年纪的男人，都想最后再蹦跶一下。"他透过烟雾看着她。

"杰拉尔德只有四十三岁。"她脱口而出。

"男人过了四十都这样。有的人还没蹦跶几下，一下就老了。"

这样的对话显然是她不愿意继续下去的，她用羽扇扇了扇炉火。"瞧，外面的月亮真好啊。"她冲着窗户说，好像面对的是一个老朋友。

"嗯，月亮是不错，你愿意跟我去散散步吗？"

"你说什么，乔伊斯先生？"

"我只是把我想到的一下子就说出来了。要是我给米奇套上马车，你愿意跟我去打谷塘那边走走吗？"

他的影子印在窗户上，她看见他的脸上露出几许得意的笑容。她在这里已经住了十六年，已经忘记跟男人出去散步的滋味。可这又是她不能忘记的回忆，就像骑自行车，只要学会了，多长时间不骑也忘不了。

"我愿意。"她说。

拉马车的马不是早上看见的那匹，是另外一匹。乔伊斯先生刚把缰绳取下，马就动了起来。他跃上座位，一手拉紧缰绳，一手扶莎拉坐上另一个位子。

两人沐浴着月色出发了……

次日清晨，当莎拉从睡梦中醒来，阳光已经照到了她的脸上。她像往常一样先侧身看看杰拉尔德是否在身边，随后她意识到就她这个年纪，再坐在马车上颠簸已经很不合适。她躺在床上想了好一会儿，觉得自己那样做真傻。这种想法无数次缠绕着她的思绪，以至一天下来，她什么事情也无法专注去做。

不过等杰拉尔德回家时，她又变成了他离开时的那般模样。她把房间收拾得干干净净，只留下一束花点缀着起居室。可刚刚吃完晚餐，杰拉尔德就开始找他想读的书。

"莎拉，那中国哲学老头哪儿去了？"

"我把他挪开了，你没发现？我把所有的杂物都归整了一下。"

他茫然地睁着眼，似乎在回想什么。"哦，是啊，可我想找到那老头，那老头可以让我明白很多事情。"

"什么事情？"

"我也不知道，孔夫子说……反正就是那么回事。"

"他根本不是什么哲学家，他是个农夫。"她对他说的话不以为然。

"是这样吗？不，那可不一样。"他翻开了书。

"你不觉得花儿很漂亮吗，杰拉尔德？"

"是很美。"

"这是乔伊斯先生送给我的，刚从他园子里摘下来。"

"很好。"

"杰拉尔德，你每晚都这样看书么？我呆在这儿整天都没一个人说话，而你回到家，又一头埋进书里……"这些话刚说到一半，她就有点后悔了，"哦，我忘了告诉你，杰拉尔德，昨晚我请乔伊斯先生吃饭了。"

"这样挺好啊，亲爱的，那老头一定很寂寞吧？"

"我倒不觉得，他太太死了，他反而松了一口气。"

杰拉尔德抬起头："他是这么说的么？"

"他没这么说，但是是这个意思。"

"这个怪物。她是怎么死的？"

"我记不得了，好像是心脏有毛病吧。"

"有意思。"他又开始看书。

"吃过晚饭后，他带我坐马车出去兜了兜风，走到科斯角又打转回来。"

"嗬。"这是他惟一的反应。

"杰拉尔德，你发胖了。"

他又抬起头，"我不觉得我发胖，还是保持着通常的体重呀，最多也就增加了一两磅。"

"可你肚子上有赘肉了。我发现你把短裤的松紧带也剪断了。"

"那是新布料。"他说。

"那都是预先缩过水的，问题是你的肚子。你没发现吗？你老是揪领口。"

"我正想说呢，莎拉，你衣领浆得太硬了。"

"我上礼拜浆衣领时，忘了整形。你现在可以穿十五码半吧？"

"天哪，莎拉！你不是要告诉我，下次我干脆穿马领得了。"他手上的书落到两腿之间，又接着说，"我一礼拜就回家三四次，很累，你最好别烦我了，亲爱的。"

她坐到他靠椅的扶手上，他垂下眼睛，"我工作很辛苦，亲爱的。"

"我不介意你做些什么，杰拉尔德，只是想看到你还有人情味。"

他伸出胳膊紧紧绕着她的腰。

"你不觉得这些春天的花朵很漂亮吗？"她说。

"是很漂亮，春天也很漂亮。"

她探过身子，从花瓶里抽出一枝花，拿在手里嗅了嗅。

他握着她的手说："你也很漂亮。"

"世间有三样东西是最漂亮的，"杰拉尔德若有所思地说，"飞翔的白鸟，金黄的麦田和女人的身体。"

"这是你写的吗，杰拉尔德？"

"记不得了，可能是吧。"

"你好久没写诗了，你原来写得挺好的。"

"我就是靠那个得到了你。"他平静地说。

"我是靠这座老宅得到了你。我还记得我妈留遗嘱那天的情景。是这样吗，杰拉尔德？你那天下决心时是这样想的吧？"

有那么一阵子，他一言未发，随后又顺着自己的思路说出下面的话："你还记不记得我为这所房子写的那几行诗？"

"我是第二天才读到的。后来我经常背诵。"

"是吗，莎拉？可你从来没对我说过。"

这实际上几乎是她阅读的惟一的东西，他对书本那么痴迷，她只好去读诗。"还记得吗？杰拉尔德，以前你老让我读诗给你听，你觉得我是你身边惟一懂诗的人。"

"记得。"

"这样说是不是有点自夸？"

他笑了笑："那是为了向你求婚，没有人会以为有谁能真正读懂他自己的诗。不过，莎拉，要是你今晚念几首诗，我还真想听听呢。就为了打发时间，不对不对，就为了怀旧。"

就为了怀旧。她心想，从抽屉里取出一沓纸，在他面前摊开。他蜷缩在靠椅里，擎着烟斗，半闭着眼睛。那时候，他正是以这种方式缩短了两人的年龄差异。

"我最喜欢的一直是这一首——《我生命的早晨》。"

"那当然了，"他喃喃自语，"那是为你写的。"

她一首接一首地读着，脑海里不时闪过他写这些诗的情景。那时候他会叼着烟斗，嘴里发出的声音好像婴儿在吮空瓶子。她觉得自己读得真好，赋予了悦耳的韵律和爱的温情。有那么一瞬间，她甚至觉得，他会从椅子上站起来拥抱她。可是，他依然坐着，闭着眼睛，握烟斗的手搁在靠椅的扶手上。她的声音变得沙哑了。她想到了夜莺的歌声，想到了夜莺胸脯上的刺，嗓门里的一丝刺痛迫使她读得更为吃力。好在这时候，诗也读得差不多了。

随着房间里的一声响动，她朗读的声音戛然而止，杰拉尔德手上的烟斗掉在了地上，可他的手依然保持着原来的样子，而下巴已经垂到了胸口上。她把那沓纸撒到一边，弯腰捡起了烟斗，心中又是愧疚，又是茫然，就好像她捡起的是一只死在自己脚下的小鸟。

第二天早上，杰拉尔德又要走了，就像以往所有那些日子一样，连吻别的话都那么雷同。"明天晚上见，亲爱的。保重！"

保重。她一边回味着这两个字，一边走进家门。保重什么？为谁保重？煮开一锅水就为了煮熟一只蛋？她匆匆忙忙地收拾好屋子，又穿戴完毕，这时候，她看见乔伊斯先生赶着装满鲜花的马车穿过院子。她锁上门，勇敢地站到了马路上等着。

"我可以搭车到马路上走走吗？"等马车驶到跟前，她这样说。

"你可以搭车到世界的任何角落，谢菲尔德太太，把手伸过来。"他让马车在她身边停下，"我看见你那老伙计一大早又走了。我敢说听见我们在月光下兜风，他肯定觉得很可笑吧。"

"那样说话很无聊。"

"你觉得愉快吗？"

"是愉快，但事后也付出了代价。"她用手拍了拍自己的背。

"我也觉得有点不舒服，但想到我们的快乐，觉得这点代价还是很值得的。我带你进村子吧，我要去那里买些橡皮管。你愿意坐一个傻瓜的马车，一直坐到那里吗？"

"又不是第一次，"她说，"我这一生其实做了很多傻事。"

"只有聪明的傻瓜，才会嘲笑他过去的傻事。在这一点上，你和我倒是所见略同。晚餐我们在哪里吃呢？"

他问得很机警。

"欢迎你上我家来。"

他点了点头。"这次我要带些牛排去，然后我们又可以赶着米奇出门。"

莎拉在邮局门口下了车，一直在那里站着，看着乔伊斯驶出视线，又等那些好奇的围观者散去，才走进一家诊所，跟村民一道排队等候。

"我想做个身体检查，菲力浦斯医生，"她隔着诊台对医生说，"您觉得我应该节食吧？"

"节食？"医生从眼镜上方打量着她。

"我觉得自己有点胖，人家都说到我这个年纪，这样胖对心脏不好。"

"你的心脏像个二十岁的小姑娘。"医生说。"不过你再往下说吧。"

"我倒不是担心心脏，医生，您是明白的，我只是想减肥。"

"哦，哦，你把衣服解开。"医生拿起了听诊器。

"我们家隔壁的那位女士，就是因为心脏有毛病才死的。"她说。

"你说谁呀？"医生一边取下听诊器一边说。

"乔伊斯太太呀，好几年前。"

"她的心脏是有些毛病，一直都不太正常，这些年是靠吃兴奋剂才活下来的。你的心跳跟子弹一样有力。抬起胳膊。"

她将起袖子，等着医生给她量血压。她在这个男人面前有点不好意思，对自己这样做也很气恼。

"我们计划买保险，"她撒了一个谎，"我想先来听听医生的意见。"

"你没有什么问题，谢菲尔德太太，没有必要节食。"医生笑了起来，又说，"尽情地吃土豆、面包和甜食吧，你会比你丈夫多活二十年。顺便问问，他怎么样了？"

"挺好的，医生，谢谢您了。"

这几天，你名堂真多啊，莎拉。她走出门时这样想。老妹，你忙进忙出的，还摔门……

米奇白天养足了精神，又换上了新马掌，晚上跑起来可疯了，拉着马车一路狂奔，连乔伊斯都吆喝不住它。

"你这老东西，想拉我进坟墓啊？莎拉，你没事吧？"乔伊斯叫道。

我是没事，她心想。这些年来我何时有过这么狂野的经历？那匹马刚开始跑时，她确实有点害怕，担心车轮会从身体下面飞出来，把她摔到路旁的沟里。

"我从来也没有这么快活过。"她说。

他挨过去，瞧她的脸，此时月亮刚好从云中探出头，风吹动着她眼中的泪水，但她的脸是笑的。

"你还真喜欢，"他说，一下子勒住了缰绳。他从马车上跳下来，把手伸向她说，"你真是一个漂亮的女人。"

"你过来喝杯咖啡吗？"

"好，我把马车安顿好，就过来。"

他过来时，壶里的水刚好沸腾了。

"你还是喝茶吧，乔伊斯先生？"

"咖啡或茶都可以，只要不是水就行。我宁愿你叫我弗兰克，他们给我取的教名是弗朗西斯，但我早就不用那名字了。"

"你也知道我的名字吧？"她说。

"知道。坐这样的马车都不怕，这样的女人我还真没见过。"

"很过瘾。"她一边说着，一边把沸水倒进了咖啡壶。

"没有什么比骑马更痛快的了。"他说。

"我年轻时骑过马。"她说。

"你是怎么碰上你这男人的？我这样问你，不介意吧。"

莎拉心想，那你又是怎么碰上你那女人的呢？但她没有说出口，她只是说："我在一家出版社工作，他拿了一些诗来。"

"哦，是这么回事。他是不是以为住到了这种地方，写诗就像倒水一样容易？"

"我和杰拉尔德深深相爱。"她说。

"我没记错吧？以前，你们从来不拉窗帘。"

"你喜欢在咖啡里放奶油吗？我记不得了。"

"哦，谢谢，多放点糖吧。"

"你的口味还挺重。"她说。

"你还记不记得我家那位？"

"还记得一点点，她不算老吧，乔伊斯先生？"弗兰克，她心想，确实是弗兰克①。

"她人不老，但心脏老了。她老爹是经营花圃的，我为她老爹打工。"

莎拉冲着咖啡，"你是个冷血的家伙。"她说。

他笑了笑，"不，不是冷血，是冷静，冷静而热血。年轻时我也喜欢诗，那时她像鸟儿一样唱歌，等到我把她养起来，她就成了母牛。"

"你这样说话好残忍，乔伊斯先生。"

有那么一瞬间，他脸上的幽默不见了。"这样活着才叫残忍呢，会让一个男人灵魂出窍。莎拉，你这儿就没点饼干，可以边喝咖啡边吃？"

"松饼和果酱行吗？"

"好啊。"他又笑了，"你那老伙计外出时在哪儿过夜啊？"

"他人到哪里，就在那里的酒店过夜。"

"对一个已婚的男人来说，那种日子可有点寂寞哦。"

她拉过来一把椅子，站上去，想拿架子上的一只罐子，但怎么够也够不着。他只是看着，并不上去帮忙。她低头望着他说："你来帮帮我。"

"再试一下，就差一点就拿着了。"他有点幸灾乐祸地看着她。

她又踮了踮脚，还是拿不到。"要是你想要糖，你就自己拿吧。我喝咖啡不加糖。"

----

① Frank(弗兰克)，在英文里又有"坦率"的意思。

　　他用拳头撑着桌子站起来："这就对了，莎拉，千万记住了，男人能做的事，用不着你去做。是哪只瓶子呀？"

　　"草莓那瓶。"

　　他跳了跳，就把那只瓶子拿在了手里。

　　"你那伙计在外边可能不止一个人吧？"

　　"为什么？"

　　"我猜你那伙计在外边有点风流韵事。推销员遇上的诱惑可多了，你知道吗？"

　　"你这样说可真无礼，乔伊斯先生。"

　　"说得对，莎拉，是很无礼。我这舌头在家里寂寞惯了，都不知道该怎么说话才得体。这杯咖啡倒是挺不错。"

　　莎拉吮了吮自己的咖啡，没有说话。她心想，是该正视那个问题了。有那么很长的时间，她一直被那个问题所困扰。昨晚跟杰拉尔德在一起，她还在想那件事。

　　"你说他在外面有风流韵事，那会是什么样的风流韵事呢？"她扬起下巴问。

　　"莎拉，你是个聪明女人，你现在是不是有点喜欢我？"

　　"是有点。"

　　"行。"他说，直起了身子，"听你这么说，今晚我会觉得很温暖。"

　　那我靠什么来温暖自己呢？她心想。

　　"谢谢你带我骑马兜风，弗兰克，确实很刺激。"

　　"很刺激吗？"说着他走到她跟前，用手指抬起了她的下巴，"莎拉，要是你这样说，我们以后还会有许许多多这样的夜晚。"

　　她偏开了他的指头，他弯身吻了吻她，随后走到了门口。他在门口停下来，回头看着她。"我是留下来呢，还是走？"

　　"你最好还是走吧。"她觉得自己应该很生气，可是并没有生气。

　　第二天整整一天，莎拉都在跟内心的幻想进行搏斗，她对自己说：你对那个男人并没有感觉，让你感到眩晕的不是那个男人，而是骑马兜风。她大声对自己说，你想念的是杰拉尔德，你想念的是……天知道是谁。她走上楼，听见马车从窗外隆隆驶过，她多么盼望这时候杰拉尔德会回家，这次他外出的时间似乎格外漫长。

空气潮湿而沉闷，苍蝇在窗帘上嗡嗡乱飞。到了下午，乌云聚集起来，一层叠着一层，她正切着土豆，为晚餐做准备，弗兰克回来了。他把马赶回马厩，自己留下来收拾一把一把的鲜花，好像在等待风暴的到来。她抬头看了看钟，杰拉尔德应该回来了吧？

她走到门廊上，遥望远处的公交车，在马路和她之间是一片空旷的土地。来来往往的车辆遥远而缓慢，那辆公交车慢慢驶了过去，并没有停靠。她忽然很气愤，她等候了一天，就为了这一刻的到来。既然他没有打电话来，那就说明他是错过了这班车，而下一班车要到两个小时以后。她穿过院子走到篱笆前。

弗兰克正在干活，这时抬起了头。

"你最好把房间关好，这场雨看来挺凶猛的。"他说。

"弗兰克，要是你忙，我为你做点吃的吧。"

"那当然太好了，我还得赶回摊位那儿呢。"

他坐在厨房的餐桌前，大口大口地吃着食物，一句话也没说。天空出现了一丝亮色，他走到窗户前说："看来要下雨了。"他又上下打量了一下她，"你那老伙计误了车，是吧？"

弗兰克又看了看窗外，"我喜欢下雨，虽说下雨让我很不方便，这世上没有什么比暴风雨更有意思的了。"

马路那边响起了一阵汽车喇叭声，莎拉忽然想到杰拉尔德是不是拦车回来了，可那车并没有停，一溜烟就驶了过去。乔伊斯此时已经吃完了饭，靠在座椅里开始聊天，这是她认识他以来第一次看见他这样。他谈论着天气、蔬菜和鸡蛋的价格，她觉得他的谈吐并不吸引人，但也没有插话，只是等着他把话说完。后来她走到他的座椅背后，用手指轻轻摸了摸他的颈脖。

"你该理发了，弗兰克。"

他坐直了身子，"我从来没有想过这些事，乱就乱点吧。再给我加

点咖啡，好吗？"

她往他杯子里倒满了咖啡，意识到他的眼睛正看着自己。

"昨天晚上的事我终生难忘——坐马车。"她说。

"昨晚还有一些别的事吧，你还记得吗？"

"记得。"

"要是我问是什么事，你会回答吗？"

"不。"

"要是我不问就那样做呢？"

"我想我不会喜欢，弗兰克。"

他把桌子推开，把咖啡杯放到盘子上。"那你为什么引诱我？"

"你对引诱的理解很奇怪。"她觉得自己有点生气。

乔伊斯把脏兮兮的指头摊在桌子上："莎拉，你知道你想要什么吗？"

她的眼睛里涌出了泪水，但她强忍住没有让泪水淌下来。

"是的，我知道我想要什么。"她叫道。

乔伊斯猛地摇头。"他占据了你的心，是不是，莎拉？"

"我的心只属于我自己。"她昂起头说。

乔伊斯一拍桌子，"瞧啊，瞧这个女人！我不会追你的，我追女人的日子已经过去了，我不会追，也不会跑，我只会守着，看谁过来。"他把脑袋探出窗外，"现在只是一阵风，接下来才是真正的暴雨。"

她看着第一阵雨打在窗户玻璃上，"杰拉尔德可能要挨雨淋了。"她说。

"淋死他才好呢，哼！谢谢你的晚餐。"乔伊斯一边说着一边往门口走去。

暴风骤雨，电闪雷鸣，要来都来吧。干脆把屋顶和烟囱都砸个稀巴烂，这样我就可以出走，再也不回这个家。连一个糟老头都可以嘲笑我，好像我真的想给丈夫戴绿帽子，真是羞辱啊。她在房间里走来走去，卡好所有的窗户。

黑云越来越厚，密集的雨帘遮住了公路上的灯光，雨水看上去又黄又脏，狂风从烟囱倒灌进来，将炉灰吹向起居室的地板。她摊开许多报纸，想接住那些炉灰，这时响起了一个炸雷，她连忙去看墙上的钟。公交车已经晚点十分钟了，怎么办？匆匆吃顿饭，看看书，然后就睡觉？那老贼说得真对呀，那预言家该剪剪头发了。

灯光忽然熄灭了一阵，随后又亮。熄就熄吧，莎拉，反正你秉着烛光也能看得清。她下到地下室，找到了煤油灯，又摸出了一把手电筒。等她回到起居室时，风把报纸都吹出了大门，像一片片云散落四方。灯又灭了，一阵响声把她引向客厅，她想，也许风声盖过了电话的铃声。可等她赶过去，却碰上墙上的钟恰好敲响。公交车已经晚点二十分钟了。她看着电话，觉得电话线肯定被吹断了。幻觉，她对自己说，完全是幻觉，一切的一切，都与自己的盼望截然相反。她一方面对自己感到气恼，同时又对杰拉尔德感到怨怼，真是屈辱。

她听见什么响声，就上了楼。响声来自窗外，她关掉灯，将脸贴在窗玻璃上。一棵巨大的枫树摇摇欲坠，一根枝条顶住了房子，公路那边一丁点光都看不见，一片漆黑。她正看着看着，就见眼前出现了一粒光，那粒光变得越来越大，还有点摇摆。她想，那是一只手电筒的光，但同时又纳闷，杰拉尔德怎么可能有手电筒。随后她认出来了，那不是杰拉尔德，是马车上的一盏灯，弗兰克回来了。

她想拧亮电灯，却发现没有反应。这时她才发现，所有的灯都不亮了。她一步一步地摸下楼梯，从烟囱里不时灌进凉风。她点亮了煤油灯，拎着灯走进厨房，透过厨房的窗户，看见弗兰克的马灯摇摇晃晃地进了院子。她看不见人，也看不见马，只能看见那盏暗淡的灯，那灯随后就消失了。等到那灯重又出现时，她举起煤油灯，向对方示意。这次他来到了篱笆前，她顶着风打开门。

"我现在没时间，莎拉，我还有活要干！"他喊道，"他没回来吧？"

"没回。"

"电话还通吗？"

她点点头，招呼他过来。"公交车来过了吗？"

"来过了，又走了。把房门关好，风会把房子掀走的。"他摆了摆马灯就走了。

她把为杰拉尔德准备的烤肉又放回了冰箱，端走了桌子上的碗碟，然后看着墙上的钟发呆。还有什么事情可忙的呢？她开始拖昨天才拖过的厨房的地板。那盏灯在不远的地方摇晃，乔伊斯显然是在检查马车的车架。

她回到起居室，在杰拉尔德的那把椅子里久久坐着，家里没猫没狗，连个伴都没有，壁炉架上没有任何东西朝她微笑，只有老祖宗阴冷的眼神，从那些破旧的画框里凝视着她。

真是不能忍受啊！她从椅子上跳起来，站到客厅里碰到的第一个能落脚的地方，朝乔伊斯的院墙那边张望。他还在那儿干活，马灯在门廊前摇摇晃晃，周围一片漆黑，那是漆黑中惟一的一点亮光。

她奔下楼梯，穿上雨衣，手里握着电筒，就冲进了暴风雨。她沿着篱笆一路小跑，时而顶着狂风，时而又被风吹得东歪西倒。乔伊斯在过道处接到了她。她想他一直在等待，一直在考验自己的意志。他一句话也没说，就牵住她的手，引她走进屋子。"我有一盏油灯，"他说，"你先把灯拿好，等我去把它点亮。"

在忽明忽暗的灯光下，她看见了他那张湿淋淋的脸，他的嘴角挂着一丝狡黠的笑容，眼神显得陌生，像暴风雨一样让人害怕。等那盏灯点亮，她就随灯光走过肮脏的墙壁，又走过褪色的挂历和一截裸露的电线，那电线一直通向后门。餐桌上堆着许多碗盘，看得出来，是吃过后要等到下一顿时才洗的。窗帘已经三年没洗了，脏兮兮地粘结在一块。

"弗兰克，我刚才有点心慌……"

"是整晚心慌吧？你坐那儿，莎拉，等我把这些衣物整整。"

她拉过他指定她坐的那把椅子，看他把衣服扔向墙角。她的眼睛一直注意着他的动作，看他坐下来，看他换鞋子和袜子，每个动作都吸引着她，既吸引她，又让她厌恶。他用袜子擦着脚指头，光脚走到屋子的另一端，走到过道上时，他站住了，变成了灯光中一只巨大的影子。

"给我们煮壶咖啡吧，可爱的女人。咖啡壶搁在炉子上。"

"我得回去了，杰拉尔德……"

"让杰拉尔德见鬼去吧,"他打断她说,"他今晚舒服着呢,根本就没想过回来看你。这种事又不是没有发生过。你也明白,男人有时会逃离那些他们觉得一钱不值的女人。"

她孤孤单单地坐在桌子前,感到全身僵硬。他不停地说着话,丑化她心中杰拉尔德的形象。她怎么样才能离开这里呢?像只惊恐的兔子那样跑掉,从此再也不见他的面?不,莎拉,还是留下来喝苦咖啡吧。可她内心又盼望杰拉尔德也许会出现在门口,领她回家。亲爱的杰拉尔德,你会来吗?

她站起来,给壶里添点水,看见窗台上放着一排药瓶,瓶子上都蒙着灰尘。她凑过去,看见了一行标签:"乔伊斯太太,需要时立刻服用"。

她从窗户转回来,看见屋子中央有一把摇椅,在往昔的那些日子里,那个生病的女人就整天坐在里面,前后摇着,没有人说话。

他像一头被囚禁的公牛,在楼上来回走着,那双换下的鞋子周围聚集了一摊水。她又看了看窗台,那里没有"五月葡萄",她忽然想起了菲力浦斯医生说的话,"这些年来一直靠吃兴奋剂才活下来"。她几乎都能看见那个疲倦的女人,看见她那因为呼吸困难而张大的嘴……"立刻服用"。

加满咖啡,莎拉。这有什么可取笑的呢?干吗要取笑一个可怜的死者……乔伊斯看见她的这般样子,对她笑了笑说:"再试试,莎拉,你差点就能够着了。"她甚至想起了他的那句问话,"哪只瓶子啊?"他说的是"哪只瓶子",而不是"哪只罐子"。

她拎着壶,加满了水。别这样想,莎拉,是暴风雨,是等待,太久的等待……你生命中太久的等待。这时候,她听见他从楼上下来的轻快的脚步。

"莎拉,你能不能从窗子那里拿点碘酒过来?我在整那该死的车架时碰伤了。"

她仔细地辨认着那些瓶子,担心发抖的双手会出卖她。

"就搽搽这里。"他指了指自己的手腕,他的手掌有一股泥巴和马的味道。她俯下身时闻得出来，很熟悉，他身上的一切都很熟悉。她感觉到他急促的呼吸落在她的脖子上，那种喘息的声音是屋子里惟一的声音。她给伤口抹上碘酒，抽身往后退，他抿着嘴笑了起来。

"如果吻一下，那伤口才好得快呢。"他说。

莎拉扔下碘酒瓶，一把抓起手电筒，"我要回去了。"她说。

他咬牙问："那你为什么过来？"

"因为我孤单，我傻……"她的声音因为恐惧而发抖。

"不，你过来是为了折磨我。"

她抬脚拼命朝门口走去。这时他的声音变成了狂笑："天呐，莎拉，昨晚那个跟我一块骑马兜风的好女人哪去了？"

她绊了一下那截电线，乔伊斯抓过电线，扔到墙角。"要是他永远不回来，那才是天大的仁慈呢。"

她汗淋淋的手摸到了门柄。他疯了，她心想，是个疯子。

"你真笨啊，莎拉，"他叫起来，"乔伊斯先生是个笑柄，一个笑柄和一个傻瓜，他会永远是个笑柄，直到哪天被人绞死。"

门开了，她一头撞进院子里。慌乱中，她撞到了马车，随后又赶紧躲开，好像那是个活物。她拼命屏住呼吸，以免叫出声来，把外衣扔到篱笆上，翻了过去。篱笆上挂住了撕碎的布条，她一边跑一边告诉自己要深呼吸，不要晕倒，不要趴下。她拧开了自己家的门，狂风吹进了屋里，她拼命把门关上，门上的玻璃咯吱作响。她把门闩上了，然后将手电筒扔向桌子，一把抓住了电话，开始狂乱地拨起来。

终于出现了接线生的声音："杰拉尔德·谢菲尔德先生刚才有个电话找你。请问你接吗？"

莎拉只听见话筒里传来自己哽咽的声音。她想盯住扶梯，集中自己的注意力，但在暗淡的灯光中，那扶梯似乎也在颤抖，如同竖琴的琴弦。那声音在她脑海里嗡嗡作响，就在这时候，传来了脚步声和乔伊斯砸在门上的拳头声。她徒劳地想向接线生暗示什么，涣散中忽然觉得自己似乎没有把门闩上，乔伊斯可以进屋坐下来，他甚至可以纵火，地下室里有那么多的干柴。但她什么也说不出来，一切都太晚了。

　　乔伊斯的拳头砸破了玻璃，打开了门闩，随着大门敞开，一阵风掀起了她的衣服。

　　"对不起，"接线生的声音说，"电话已经在十分钟前挂断了。"

　　她手上的话筒掉在桌子上。她依然背向房门。十分钟并不是很久以前的事，她在惊慌中这样推断，同时计算着乔伊斯走过来的每一声脚步，意识到那些脚步将覆盖她剩下的所有时光。就在这时，她看见了他手上那圈电线，看见了那双强壮扭曲的手。她闭上眼睛，扬起了头，只觉得以这种方式了结，会更利索些……

WORLD-FAMOUS SUSPENSEFUL *STORIES*

包厢旅伴

[奥地利] 雅可夫·林德

你回头看见了什么？什么也不会有。朝前看呢，也是一片迷茫。
这就对了，就是这么回事。

此刻是凌晨三点，落着雨。列车隆隆向前疾驶，荒野里闪烁着亮点，但你分不清那是灯光呢，还是星光。

道路就是铁轨——为什么没有铁轨直接通向天堂？

旅途的终点站是巴黎。哪个巴黎？是人间的巴黎——咖啡厅、绿巴士、喷泉和涂满淫荡语句的白色墙壁？还是天上的巴黎，浴室里悬挂着风景画《布洛涅森林》？

在淡蓝色的灯光映照下，旅伴显得面容憔悴。他的鼻梁挺直，嘴唇单薄，牙齿特别细密，头发翻卷着，像头海豹。他在唇上留了一撮小胡子，跟鼻子成垂直状。他让人生厌。为什么不直接露出自己的大牙？

在"就是这么回事"之后，他不说话了。一切都告一段落。他开始抽烟。

他的肤色暗黑，皮肤绷得紧紧的，只要用手指轻轻一刮，就可以把它刮破。还有什么好看的，他只有一张脸和一只皮箱。他在箱子里放了什么？工具？铁锯、钉锤和凿子？或许还有钢钻？他要钻头干什么？在脑袋上钻窟窿？有些人是这样撬开啤酒瓶的。喝完了就绘画。他给我画像吗？用什么颜色？水彩还是油画？画好了做什么用？孩子们复活节玩蛋壳，他玩脑壳。

那么，他漫不经心地说，熄掉烟。他把烟蒂往铝盒盖上揉碎，搓出

<u>丝丝</u>声响。那么，怎么样啦？

我不知道，我说。我还没想好。这家伙懂笑话吗？

你可能还需要一点勇气，他说。现在是做决定的时候了，反正半小时内，你会睡着，那时候我对你想怎么样就怎么样。

我今晚不睡了，我说，你已经提醒了我。

提醒没有用，他说，在三点到四点之间，人人都会进入梦乡。你是有教养的，当然会明白。

当然，我明白，但是我可以控制自己。

在三点到四点之间，那家伙说，揪着短胡子，我们大家都把自己锁进小屋，什么也听不见，什么也看不见。我们死掉了，每个人都死掉了。四点以后，死神把我们复活，我们醒过来，生命又开始活动。如果不是这样，生命就无法延续。

我一个字也不相信。你锯不动我。

我吃不了你，只能锯，他说。先是腿，接着是胳膊，然后是脑袋。一切都有顺序。

眼睛你打算怎么处理？

吮掉。

耳朵可以消化吗，耳朵长着骨头。

没有骨头，不过难嚼。我不是什么都吃的，你以为我是猪啊。

我想是海豹吧。

那倒是更像，他承认。

一头海豹，我知道。

他怎么说起了德语？海豹都说丹麦语，谁也不懂。

你怎么不说丹麦语？

我在圣克巴登出生，他说。我们家不说丹麦语。他说话躲躲闪闪的。

你有什么办法？他确实可能是圣克巴登人，据说那地方有过这样的人。

那么说你住在法国？

那又怎么样？半小时内你就会完蛋，找到归宿前，不妨多打听些东西。只是你眼下的情形……

他是有些疯疯癫癫，但我怎么办呢？他关上了包厢的门(哪儿找到的钥匙？)。巴黎见不着了，他挑准了天气，你什么也看不见，外面在落雨。他显然可以弄死我了。

你发发慈悲，再把过程描述一遍，好吗？慌乱中你说得很急促。

慈悲正合他的虚荣。被害者病了，病人是无助的。慈悲起了作用。

好吧，先是乱棍，他说，就像教师一样仔细……对那些笨学生，什么都得解释两遍。愚蠢是一种灾难，老师对此也无可奈何……乱棍之后是碎割，得给你放血，这一点很麻烦，哪怕很细心，也常常会弄错肝脏的位置。好啦，接下去才是我刚才说的锯。

你锯腿是在屁股上锯，还是在膝盖上锯？

一般在屁股上锯，偶尔也锯膝盖。我有空时才锯膝盖。

胳膊呢？

胳膊？从不锯肘关节，总是锯肩膀。

为什么？

兴许只是嗜好，没什么道理。手臂上没什么肉，你的手臂一点都没有，但是动起手来，还挺麻烦。

他是对的。

你要想知道吃人的秘密，就问吃人的人。

放作料吗？

只放盐。人肉是甜的，这你知道，谁愿吃甜肉呢？

他打开皮箱。

不！我惊叫起来，我还没入睡啊。

不要怕，看你吓成什么样。我只是想让你看看，我并没有骗你。他说。

他把那些器械都拿出来。箱子里只有五样东西。随便搁着。那是一只小型手提箱，就像医生的手术提箱。医生的器械都压在绒垫上，他的东西却被随意搁置着。钉锤、钢锯、钻头、凿子和扁头钳，普通工匠的工具。还有一个布包，包了一只盐瓶，就是你在次等饭馆的餐桌上常见的那种普通玻璃瓶。

他是从哪儿偷来的，我心想。他是个贼。

他把盐瓶送到我鼻尖下。里面有盐。他倒了少许在我手心里。尝一尝，他说，头等精盐。他看出了我脸上的怒气。

我没有吭声。

他笑了，露出的细牙真叫我恶心。

对啦，他又说，还应该趁活的时候就腌一腌。

他关上皮箱，叼起一支雪茄。

此刻是凌晨三点，火车在铁轨上飞驰，但终点再也不会是什么巴黎了，地上的或天上的都不会是。我中了圈套。每个人都会死，你真在乎怎么死吗？你可能寿终正寝，也可能被人开枪误中；到一定时候你会心力衰竭，再或者，你会患上肺癌——这在这个年代是很常见的事。这样或者那样都得死掉，为什么就不可以在尼斯——巴黎的特快列车上，被一位疯子吃掉呢？

都是徒劳，有什么办法呢，你得去死，虽说你不愿意；你明明活不成，却偏想活下来。惟有适者才能活下来。大鱼吃小鱼。云雀吃了蛆虫放声歌唱。猫吃老鼠没人觉得残忍。既然动物靠吃同类而生存，人吃人，又有什么不可以？吃猪肉或牛排就更合情合理了吗？你说伤生就真的伤生了吗？动物不会哭。

一个亲人死了，人就会哭，但有谁能为自己哭？我爱我自己吗？这是枉然。没有谁会因为自己死掉而心碎。就是这么回事。

一种舒适温暖的感觉传遍了我的全身。这是个疯子，他想吃掉我，因为他需要些什么东西。我需要什么呢？我不想吃谁，不想吃任何人，这很高尚，不是吗？该做的事不做，还有什么话可说？

如果你不去做让人生厌的事，还有什么可以让人生厌呢？那位圣克巴登人不会有这种感觉，他能把什么都吃下去。

瞧，你就要睡着了，这是负担过重的缘故。巴黎有什么可期待的呢？巴黎不过是座城市。你需要谁？谁需要你？你正前往巴黎，为了什么？为了性交和酗酒？没有意义，做那些事不会让你快活，当然，干活也不会。金钱于你也毫无意义。你想逃避吗？那就睡吧，你不会醒来的，我可以担保。

可是，我不想死，我悄悄对自己说，还不想。我想到巴黎……溜达溜达。

到巴黎溜达溜达？好家伙。那样做只会使你疲倦。大把的人在溜达，在浏览橱窗，餐馆里人声鼎沸，到处都是妓院。巴黎没人需要你。做做好事吧，睡觉去，黑夜不会永远延续，我得赶紧行事才好。你弄得我的肚子好难受。

我得吃你了，首先我饿得厉害，其次我还喜欢你。我刚才说了，我喜欢你，可你却觉得，这家伙是个怪物。现在你该明白了吧，我不过只是个吃人的人。这不是职业，是本能。天哪，喂，你动动脑筋看，你在生活中找到了目标，人生有了意义，这得感谢我。你以为进入我的包厢只是一种偶然？没有那么偶然的事。在尼斯站台上，我就开始注意你了。后来你就钻到了我的这节车厢。为什么钻到我的而不是别人的车厢里呢？因为我漂亮。

不要逗我发笑，海豹会漂亮吗？你到这儿来，是因为你想做些什么事。

他慢慢打开手提箱，抽出木棍，然后合上箱子。他拿紧了木棍。

好啦，怎么样？他问。

再等一下，我说，再等一下。

我猛地站起来，天知道我是怎样站起来的。我的两条腿牢牢站稳，举起胳膊。警铃响了，海豹跌倒在地。列车笛声大作。隔壁房间传来尖叫声。车停住了，圣克巴登人迅速把木棍藏进手提箱，取下大衣。一瞬间他就到了门口。他拉开门，回头望着我。

我怜悯你，他说，你会为这种愚蠢的小动作，付出超过一万法郎的代价，你这白痴，上巴黎溜达去吧！

旅客拥进车厢，出现了一位列车员和一个乘警。两个当兵的和一个孕妇朝我直挥拳头。

那头圣克巴登的海豹已经下了车，正站在我的窗下。他冲着我叫喊着什么。

我拉开窗户。

瞧吧，他叫道，你做了件多么蠢的事，瞧瞧，谁想活？

他口沫横飞，舞着胳膊，随后用右手提着箱子，小心翼翼地走下路基，在黑暗中消失了，活像一位前去接生的乡村医生。

WORLD-FAMOUS SUSPENSEFUL *STORIES*

车　祸

[美] C·B·吉尔弗德

　　保罗·桑丁今天特别快活。这座小城市里的医院和药店大量进货，他作为药品推销员，大大地赚了一笔。不过一天总有天黑的时候，此时已经十一点多了，桑丁驾车疾速行驶在偏僻的乡村公路上，想在午夜前赶回家。

　　他有点累，也有点困，在这剩下的半小时内，不停地跟倦意作斗争。但他并没有打瞌睡，完全控制着自己的车子。他很清楚自己正在做什么。

　　他超越了好几辆车，此时来到一条空旷的马路上，他选择走这条路，就是因为这条路车少，没有交通问题。然而就在这条空荡荡的路上，他看见了另一辆车。

　　起先，他看见的是两只前灯，出现在四分之一英里远的一个转角。那两盏灯亮得出奇，司机似乎没法将车灯减弱，桑丁骂了一句：

　　"什么东西。"

　　他把自己的车灯减弱下来，可是并没有看见对方做出相应的回答。他又骂了一句，拧亮了自己的车灯。他并没有意识到这样做有多么危险。

　　这时候他忽然明白，那辆车正以高速朝他疾驰而来，车速要超过正常速度很多。他本能地踩了刹车，专心致志地行驶在马路上自己这一侧，尽量不去看直射过来的那些灯光。可是，这一切都晚了，他发现那辆车蹿到了马路中央。

　　他必须迅速做出决定，要么靠右行驶，拧响喇叭，希望那司机会避到另一侧；要么开到外边的碎石和泥巴里，图个侥幸。

　　他做出了第二种选择，但速度不够快，他看见那辆车丝毫没有避让的意思，于是只好尽量往右偏，结果左侧的挡板和车轮遭到重击，车后座被撞飞起来，整辆车一阵翻滚，摔到马路边，又弹跳起来，将桑丁摔到前方。

　　他没有听见，也没有看见汽车最后摔成了什么样，只是感觉到自己的身体撞向山脚，就跟撞在一堵结实的墙壁上一样，随后滚落在碎石和泥土里。他静静地躺在地上，周围的世界一片安静。

　　在最初的片刻，他并不觉得疼，完全因惊吓而变得麻木了，但他知道自己还活着，自己还有意识。他多少意识到自己的身体破碎了，而且开始流血。

　　炫目的灯光不见了，他躺在一片乱草堆中，眼前是星星和一轮明月。星星和月亮似乎比以往任何时候都更清晰，或许是因为这种幻觉，他产生了一个念头，觉得自己快死了。

　　他一点也不生气。他记得车祸发生前，自己是有点气愤的，但此时此刻，那种气愤似乎变得很遥远，很不真实，死亡的念头再一次从他脑海中闪过。

　　这时，他听见了声音，从世界的某个角落传来一阵很清晰的声音，那辆车里有人。他静静地想像着他们，既不怨恨，也不同情，只是全神贯注地倾听着。

　　"这里没人。"是一个年轻男子的声音。

　　那辆车也受到了撞击，它要么是被撞停了下来，要么是被司机自己刹住了车。反正那辆车里的人，也不知道是什么人，走到他的车跟前来寻找他。

　　要不要吭声呢？他的第一反应是想叫喊，告诉他们他所在的位置。他们那么自私地蹿到马路中间，但此刻又想来帮忙。但是很快，第二个念头冒出来了，反驳着第一个念头，难道那些人真的很友善吗？他忽然对那些人感到害怕，也不知道为什么。当然，每个人都会帮助车祸的受害者，难道他们不会吗？

"他肯定被抛出去了。"一个姑娘的声音，战战兢兢的。

"我想也是。那我们怎么办？"还是那个男子的声音，也就是说，他们只有两个人。

"找找看吧。"那姑娘说。

"为什么？"声音犹犹豫豫的。

接下来的声音也很犹豫。

"难道你不想知道他……或者是她，究竟怎么了？"

"我不知道。"那男子的声音有点哆嗦，"我真的不知道……"

"我们得把他找出来才是。"

"好吧……那么黑。"

"你不是有一把手电筒吗？"

"哦，对，我去拿。"

马路上传来脚步声，那小伙子转身回自己的汽车去拿手电筒，一切又变得安静下来了。

桑丁等待着，因为一种新的恐惧而全身汗湿。他不怎么喜欢那两个人的声音，那个小伙子和那个姑娘，听上去不是那种会关心别人的人。要是他快死了，他们是不会帮上什么忙的。

要是他快死了？他开始回味这个问题。

现在开始感觉到痛了，他感觉到有好几个部位都痛，脸，胸口，两条腿，还有身体内部的某个地方，那个地方只有医生摸得到。正是那个地方的痛，让他想到了死。

要是他们借助手电筒找到了他，接下来会发生什么事呢？

"好了，我拿到手电筒了。"小伙子的声音，"到哪里去找啊？"

"可能在沟里，我想。"

零零落落的脚步声，踏着碎石，绊着乱草和低矮的灌木，若隐若现的灯光，前前后后地照着。灯光和脚步都越来越近了。毫无疑问，他们最终会找到他。他本想朝他们喊一声，但他没有这样做，只是等待着。

"在这里！"

灯光照在他的脸上，他想避开那灯光，但是没有力气。随后脚步声匆匆赶过来，两个人影站在他面前，在天空的映照下像两堵墙。手电筒在他眼前晃动，他眨了眨眼，但他们并不明白这是因为他不喜欢灯光的照射。

"他还活着，"那姑娘说，"他的眼睛是睁开的。"

"是呀，我看见了……"

"可他受伤了。"那姑娘的影子跪下来，跪在他身边，借着手电筒的光，很怜悯地看着他。在明亮的月色中，他可以很清楚地看见那姑娘的脸。

她很年轻，真是太年轻了，可能只有十六岁。她也很漂亮，头发黑黑的，皮肤很白，白得有点异样，涂过的嘴唇特别醒目，可是她的脸上没有表情，可能被吓坏了吧。等到她的眼睛盯着他的伤口时，他发现那眼神里并没有同情的光泽。

"你伤得好厉害呀，是吧？"问话就在他的耳边响起。

"是的。"他发现自己说话并不特别费劲。

"伤在哪儿了，你自己知道吗？"

"全身都伤，里面伤得更厉害。"

那姑娘听他这么说，一副若有所思的样子。她接下来的问题听上去有点冷漠。

"要是我们抬你，你受得了吗？"

他想了想，不知该如何回答。尽管他想了想，他还是犯了个错误。"我想我可能快死了。"他说。这句话一说出口，他就觉得自己说错了。

那姑娘的脸忽然有了一种不易察觉的变化，桑丁不明白那变化是什么意思，他只是知道确实有变化。她站起身走到那小伙子跟前。

"他快死了。"她说，好像她跟桑丁一样明白这个事实。

"那就是说现在去找医生也没用了？"小伙子的声音听起来松了一口气，似乎他已尽到了自己的责任。

"我觉得也是。"

"那我们怎么办？"

"我们做不了什么，就等在这儿呗。这儿偶尔会有车子路过。"

"那么说我们可以开车回城里了？"

小伙子似乎完全为姑娘的态度所左右。

"当然，我们可以去找个医生来，不过这家伙可能到时候已经死了。那我们就得向警察局报告。"

"警察局？"

"是啊，我们得去报告，你撞死了一个人。"

接下来一阵沉寂。桑丁躺在他们的脚边，望着那两个人影。他们就那样谈论着他，好像他已经死了。但他并没有生气，也许是因为他也觉得自己已经死了。

"阿丽娜……他们会把我怎么着？"

"谁，警察？"

"是啊，你说我撞死了一个人。"

"你是撞死了一个人，不是吗？"

小伙子不知所措。

"可这只是一起事故啊，你知道的，这只是一起事故，阿丽娜。我是说……"

"当然。"

他们悄悄地说着话，可是桑丁可以清楚地听见他们说的每一句话。他忍不住说了一句：

"每起事故，都是因为，有人犯了错误。"他对他俩说。

他俩吓了一跳。他看见那两个人面面相觑，然后又蹲了下来。

"你说这话是什么意思，先生？"过了一阵，那小伙子问。

"这起事故是你的责任，我就想说明这一点。"他依然没有生气，他并不想就这个问题进行争吵，只是想说明是谁的过失。

"怎么是我的过失呢？"

"首先你没有减弱你的灯光……"

"那倒是，但你也没有减弱呀。"

"我开始时减弱了。"

"可你后来又把灯拧得很亮。"

"那是因为你不减弱你的灯。"

小伙子又沉默了一阵子，随后说：

"可是我们相撞时，你的灯是很亮的。"

桑丁不得不承认了这一点。

"我的脑子是有点乱。"他说，"可这并不重要，是你把车，开到了马路上的我这一侧来。"

小伙子将脸转向那姑娘。

"阿丽娜，我把车开到他那一侧了吗？"

姑娘偷偷笑了起来：

"我怎么知道呀？我们正在……"

她没有说完那句话，可是桑丁猜到了她接下去想要说什么。他们肯定是在搂搂抱抱，或者抚摸，或者做些如今的年轻人喜欢做的那些事。正是因为这样，小伙子没能打暗车灯，他也没能控制好自己的车子，而他，桑丁，却为了他们的好时光付出了代价。

想到这里，他终于开始生气了。不过这种气愤很快又消失了，因为毕竟已经过了这么长的时间，这件事对他已经无足轻重了，他快要死了。

不过，桑丁对自己能够说出下面这席话，还是感到很宽慰。

"你瞧，你把车子开到了不该去的那一侧，所以这是你的过失。"

小伙子耳朵听着他说话，眼睛却望着那姑娘。

"他们会拿我怎么着？"他问她，"我是说那些警察。他们会拿我怎么着？"

"我怎么知道？"她对他说，她一直保持缄默，也许此时此刻，开始时的那份惊吓已经消失了，她现在只是感到有点神经质。

"哪怕我就是开到了不该去的那一侧，"小伙子说，"这也只是一起事故呀。我并没有想去撞这家伙的车，更没有想过去撞死他。"

"是的，是的……"

"你瞧瞧报纸上关于这类事情的报道吧，一般来说司机不承担什么责任，但是可能会被索赔。我老爹可以拿钱出来的，哪怕我就是得去蹲监狱，在里面呆的时间也不会太长。是吧，阿丽娜？你觉得是这样吗，三十天？"

"也可能是六十天。要是那样，就太糟糕了。"

桑丁听着他们说话，心里感到越来越气愤。有可能是九十天，他心里想。保险公司倒是会赔付，凶手本人不会赔那么多的钱。凶手会在牢里蹲上九十天。

"不过有一点……"小伙子忽然说。

"有一点什么？"

"这件事可以被称作一起事故，或许也可以说是我的过失，但有一点，除非是这个家伙去跟别人瞎说。"

"瞎说什么？"

"瞎说是谁关掉了灯，谁又没有关灯，谁开到了马路的另一侧，等等。可是如果他死了，他就没办法瞎说了。"

"那是啊。"那姑娘的声音忽然有点异样，好像意识到了什么。

"那就是说，他非得死不可。你明白我的意思吗，阿丽娜？"

"他说他快死了……"

"是的，可是他只是快死了，我们也觉得他快死了，可他并没有死，我们得确信他已经死了才行。"小伙子的声音变得很急促，有点歇斯底里的意味。

桑丁看见姑娘一把抓住小伙子的胳膊，盯着小伙子的脸。她的身体因为恐惧而颤抖。

"还有一点，"小伙子说，声音有点激动，"我老爹说过，关于赔付金的事，一个家伙如果只是被撞跛了，那么他得到的赔偿要比被撞死的人多得多。他们给被撞跛的人赔一大笔钱，我还不知道我们家的赔偿金有没有那么多呢。要是这家伙没死，只是受了重伤，那把我们家所有的钱赔进去都还不够。你瞧，要真是这样的话，我老爹还不把我揍死呀？"

姑娘现在很害怕，她悄悄地说："可他只是快要死了呀。"

"我们怎么能知道？"

桑丁此时不觉得痛了，只是觉得愤怒。他们一点都不想帮他，却想要他死。他们真是自私，自私到令人难以置信的地步；他们真是残忍，残忍到可以当着他的面谈论他的死。

小伙子忽然跪了下来，用手电筒直射桑丁的脸。桑丁虽然眨巴着眼睛，却也头一次看清楚了那小伙子，年轻啊，跟那姑娘一样年轻，可是没有那姑娘那么沉着，他的眼睛里有一种冲动。他也被撞伤了，脑袋的左侧有一道难看的伤痕，头发上还沾着血污。

"你感觉怎么样了，先生？"小伙子问。

桑丁没有回答，他不想再说出让他们满意的那个答案，他不想告诉他们，滚烫的鲜血正在他的体内流动，疼痛一阵比一阵厉害；他不想告诉他们，他已经听见了他们偷偷摸摸地谈论他的死。

他看见小伙子的脸上露出一丝绝望，小伙子举着手电筒在他的身体周围寻找着什么，随后站了起来。

"他看上去伤得并不厉害哎，不像会死的样子。"他对姑娘说。

其实不是这样的，桑丁暗想。损伤是在身体的内部，非常致命，但我不会告诉他们的，让他们害怕吧。也许我可以坚持到有人路过。

一阵剧痛忽然冲乱了他的思路，让他感到神志格外清醒。

姑娘尖叫起来，好像是冲着他在尖叫。小伙子显然想用什么方式攻击他。

"你这是干什么？"姑娘问道。

小伙子的答复同样尖声尖气的："他得死！我得帮他死！"

或许是出于女性的本能，姑娘冲着小伙子喊了起来。

"你不能杀了他！"

"那又有什么区别？"小伙子的声音显得歇斯底里，"我已经撞死了他，不是吗？他马上就要死了，你还不明白吗，阿丽娜？"

她揪住他，把他往回拖。

"谁也不知道这中间有什么区别，"他对她说，"他已经受伤了，别人会以为他是被撞死的。"

有那么一阵子，世界似乎显得很安静，桑丁蜷曲着脑袋，可以看见那两个人，他们是天空下的两个影子，紧紧地挨在一起。桑丁可以感觉到，他们在拥抱，在绝望中拥抱。姑娘出于女性的本能表现出怜悯，小伙子则像是一头野兽，狂怒着想施行自我保护。可以看得出来，姑娘很爱他，也正因为很爱他，所以跟他站到了一起。

"那好吧，温斯。"他听见姑娘终于说出了这句话。

但桑丁无能为力，只能依旧躺在那里。他可能会被打死，或者被踢死，随便哪种方法都可以将这个虚弱的人置于死地。他倒并不害怕再死一次，只是害怕这种死法，这种死法本身带有恐惧的意味。

"不!"他拼尽全力朝他们喊道，"不!"

他的喊叫吓坏了那两个人，他们松开了。小伙子手中的手电筒又射向了他的脸。桑丁没有动，让那柱灯光一直照在自己脸上，让他们清楚地看见他脸上的恐惧。

"你能行吗，温斯?"姑娘问道，她的声音很镇定。看得出来，此刻她是两人当中更坚定的那个。

"我不知道，"他说，"但我得试试。"

桑丁看见他走过来，闭上了双眼。

"等等。"他听见那姑娘说。那姑娘的声音好像是从哪个角落里传过来的。

"怎么了?"

"你这样做身上会沾血的，是吧?"

"我不知道。"

"你小心点。"

"知道。我会小心的。可这又有什么区别?"

"温斯，温斯，你怎么那么傻? 他们会查出血迹的，总会有人怀疑的，他们会去验血，会查出那是谁的血。"

桑丁脑中闪过一线希望，他睁开了眼睛。小伙子站在他跟前，似乎有些犹豫。

"我知道该怎么做了。"他终于说。

他忽然走开了，从桑丁的视野里消失，但桑丁能听见他在乱草堆中翻找着什么。过了一阵子，就听见他叫：

"阿丽娜，过来帮帮我，帮我把它搬起来。"

乱草堆中响起更剧烈的声音，只见姑娘跑过去帮那小伙子。

又听那小伙子激动地说："那家伙不是被抛出汽车的吗？那就好了，他一头撞在了石头上，不是吗？我们可以把他的尸体挪一挪。来，一起搬起来。"

一阵沉重的脚步慢慢走过来了。桑丁看见了他们，他们一起朝他走来，弓着身子。在他们两人中间，是一块沉甸甸的巨石。

这次他没有叫喊，他叫不动了，他的脑袋已经麻木，但他可以看见他们，看见他们慢慢走过来，气喘吁吁。

他们停了下来，一人站在他的身体一边，那块沉重的巨石悬在他的脸上。

在他生命的最后一刻，他忽然想到了什么，心中掠过一丝欣慰。我要死了，他想，当然，这样死更快，也更利索。不过，这依然是谋杀。

他心中默默地祈祷着，祈祷会有一位精明的警官。

负责管理高速公路的巡警万尼克中尉，正是这样一位精明的警官，在灰暗的黎明中，他查看着马路上轮胎的印记。那些印记很模糊，看不出什么结果。

但他对站在面前的这一对情侣有一种感觉，他们注视着他，看他怎么调查这件事。小伙子名叫温斯，姑娘名叫阿丽娜，他们像所有卷入交通事故的年轻人一样平常，但又有点异常。因此，随着曙光越来越明亮，中尉的调查工作也越来越细致。

他找到的线索比他想像得还要多。尸体被挪动过了，周围有一片杂乱的脚印，但最重要的证据却不是这些。证据是确凿的，毫无疑问。

他从沟里爬上来，走到姑娘和小伙子跟前。小伙子脸上充满了恐惧，颤抖着问：

"怎么了，中尉？"

　　万尼克中尉说："一块石头分为两部分，顶端被雨水冲刷，是很干净的，底部埋在泥巴里，自然粘着泥土。现在你跟我说说，小子，桑丁先生怎么会从汽车里抛出来，一头撞在那块石头的底部？"

遇上麻烦的男人

〔美〕唐纳德·霍尼格

他毫无兴趣地看着下面人行道上聚集的人群。他们那些仰望的脸孔汇成了一片喧嚣的海洋。那片海洋的面积扩大得很快,漫上了主街。匆匆赶来的新加入的人,像甲虫一样蠕动着,汇入那片不停涌动的潮汐里。尽管哨声尖锐,但交通还是慢慢停下来了,从二十六层楼上往下看,一切都显得那么小,那么神秘而不可思议。传到他耳里的声音虽然非常微弱,但那些人的激动是显而易见的。

他没去怎么理睬那些惊慌的脸孔,他们不时在那扇窗户探出探进,要么目瞪口呆,要么小声哀求。最先出现的是一位侍者,用很不以为然的眼神瞅了瞅他,抽了抽鼻子。随后出现的是一个电梯工,他低沉着声音问是怎么回事。

他瞅了瞅电梯工那张脸,平静地问道:

"你想干吗?"

"你想跳下去吗?"那人反问,显得很困惑。

"走开点。"窗台上的这个人不耐烦地说,看了看下面的街道。

车辆依然很缓慢地行驶着。他还没有发现。

"你不会就这样跳下去吧?"电梯工吼了一声,随即缩回了脑袋。

过了一会儿,经理助理的脑袋从那扇窗户伸了出来,闪动的窗帘打着他那张剃得很干净的光滑的脸。

"我求你别这样。"经理助理说。

这人挥挥手,让他走开。

"你是个十足的傻帽。"经理助理说，觉得自己看见的这个场景毫无道理。

最后，经理终于出现了，那是一张胖乎乎的红脸。他先看看那人脚下，随后又看看那人头上，审视了老半天。

"你待在那儿干什么？"经理问。

"我要跳下去。"

"你是谁？叫什么名字？"

"卡尔·亚当斯。我在这儿干什么与你无关。"

"想想看，你在干什么，伙计。"经理一边说着，胖胖的双下巴不停地颤抖。因为挤在窗台上，脸孔显得更红了。

"我已经想过这事了，你走吧，让我自个儿待着。"

窗台很窄，只有大概十八英寸宽，他站在两扇窗户之间，无论从哪扇窗户伸手过去，都够不着他。他背靠着墙，明亮的阳光落在他身上，他把外套扔在房间里，只穿着一件白色的衬衫，衬衫翻到脖子上，看上去像是一个等待被处决的犯人。

窗户上不停地有脑袋探进探出。他们都小小声声地跟他说话，叫他亚当斯先生。有的人口气特别婉转，好像已经确信那是个偏执狂。那些人自报家门，有的是医生，有的是酒店管理人员，还有一个是神父。

"为什么不进来好好谈谈呢？"那位神父轻声问他。

"没什么可谈的。"亚当斯说。

"那要不要我出去牵着你的手进来？"

"不管是你还是别人爬出窗子，我就跳下去。"亚当斯说。

"那你能不能把你的麻烦事跟我们说说？"

"没什么可说的。"

"那我们怎么才能帮助你呢？"

"你们帮不了，走开。"

有那么一段时间，窗户上没有出现谁的脑袋。

后来探出一个警察的头，望着他好一阵子，然后用嘲讽的口气说：

"嗨，小子！"那警察说。

亚当斯抬头望着他，审视着他的脸。

"你想干什么？"他问。

"他们把我从楼下叫上来，说是这里有个家伙威胁要跳下去。你并不真的想跳下去吧？想跳吗？"

"是的。"

"为什么要那样做？"

"我这人生来就喜欢做点不同凡响的事。"

"嘿，你还挺幽默。"那警察说，他把帽子往前压了压，坐在窗台上，"这我喜欢。要抽支烟吗？"

"不。"亚当斯说。

警察从口袋里抖出一支烟，点上，深深地吸了一口，把烟吐进阳光里，风很快就把烟吹散了。"这是个好日子呀，你说呢？"

"是个去死的好日子。"亚当斯抬头望着他说。

"你小子病得不轻呀。有家吗？"

"没有。你呢？"

"我搞到个老婆。"

"是吗？我没有。"

"那太可惜了。"

"是啊。"亚当斯说。

就在不久之前，我还有个家。他想。事实上，就在昨天。他早上离开家去上班，凯伦站在门口对他说再见，没有像往常那样与他吻别。如今，他们的婚姻里是没有吻的，但她依然是他的太太，他也依然只爱她，无论过去，还是将来，决不会跟她离婚，哪怕她说她很想离开他。随后他六点钟回到家，这时候，他就没有太太了，没有爱，什么都没有了，只有一只空荡荡的安眠药瓶子，那张字条和悄无声息的房间……凯伦的身体直挺挺地躺在沙发上。

她在他的枕边留下了那张字条。

字条写得很整洁，仿佛经过深思熟虑，说史蒂夫告诉她他不能跟她一道私奔。史蒂夫骗了她。字条写得那么直白，毫不隐讳，她提到史蒂夫时不作任何解释，因为他一定会明白的——就像他这几个月来一直都很明白一样。他甚至有一次看见他们在附近的一家卡巴雷①里约会，所以对她来说，没什么好隐瞒的。她告诉他，他们的婚姻已经完蛋了，很坦然地对他提到了史蒂夫。

那天夜里他走了出去，一直顺着大街走，走到半夜，回到家倒头就睡。早上醒来时，他猛然意识到自己已经做出了一个决定，他就要去做一件此时他正在做的事情。他走到城市的这端，在这家酒店登记住宿，要了一间最顶层的房间，然后他明白接下来自然而然会发生什么事情。

下面的大街上黑压压一片挤满了好奇的观望者，那警察正努力把人群往后赶，在他要往下跳的正下方清出一片空地。他看见消防队员支起了救命的帆布气垫，那气垫看上去像一块圆圆的黑蛋糕，中间还有一圈红色。但他知道那是无济于事的，救不了一个从二十六层楼上跳下去的人。想救他的那些人，无论如何都够不着他，消防梯够不到这么高，头顶的屋檐也挡住了任何想救他的企图。

"这样做没有意义。"他抬头，看见窗户那边有个人说。

"那是你觉得没有意义。"亚当斯说。

"你瞧，我是个医生，我可以帮助你。"那人很诚恳地说。

"住哪个科室的病房呀？"

"不用住病房，亚当斯先生。我保证你不用住。"

"现在太晚了。"

"如果你跳下去了，那才叫晚。现在还有时间。"

"你最好还是走开，去照管那些需要你的人，医生。我不需要你。"

医生的脸消失了。亚当斯冷冷地看着下面的人群，他现在是多么与众不同呀，孤孤单单的，而下面那些人都在等待着，等待着。他们希望看见发生点什么事情，他心想，而房间里的那些家伙吵吵嚷嚷的，想找出什么方法吸引他的注意力。他甚至听见他们歇斯底里地给自杀求救中心打电话。

他抬头看了看，窗户上又出现了一张脸，盯着他。又是那位神父，

---

① 卡巴雷(cabaret)：法语，有歌舞表演的餐厅。

那张愁容满面的圆脸。

"我们能为你做点什么吗?"神父问。

"不能。"他说。

"你现在想上来吗?"

"你这是在浪费时间,神父。"

"我没浪费时间。"

"是的,你在浪费时间,我不想上去。"

"你是不是想让我们走开,好自个儿想想?"

"这样最好。"

神父的脑袋也消失了,又只剩下他一个人。他看着下面的人群,眼睛里闪过一丝柔和的光。这点高度一点也不妨碍他,而他刚爬出窗户时,确实还是有点害怕的。下面越是喧闹,他觉得自己跟大楼反而贴得越紧。

他心想,他们采取一些什么复杂的方式来救他呢?绳索,梯子,气垫,软椅子,他们会非常非常小心,因为谁也不知道他脑子里究竟在想些什么。

那警察又出现了,亚当斯知道他一定会出现的,因为他比别人更有义务来救他,所以还会来再试一次。

"你瞧,亚当斯,"警察说,又坐在窗台上,显得很耐心,"你帮了我一个忙哎。"

"怎么说?"

"你瞧,通常我得呆在下面指挥交通,可是现在因为你,我倒可以上来歇会儿了。"

"真是这样吗?"

"真是这样。"

"那你就在这儿歇会儿吧,那些车子反正也动弹不了了。"

警察笑了起来,"是啊,"他说,"下面那伙人都盼着你往下跳呢,他们都盼着你呀。"他说着用手指了指下面。

亚当斯看着他。"他们盼着我往下跳?"